ARCHIVES DES LETTRES MODERNES

178

interférences

2

JOSEPH JURT

Bernanos et Jouve

Sous le soleil de Satan et *Paulina 1880*
essai de lecture parallèle

MICHEL ESTÈVE

Bernanos et Bresson

étude de

Journal d'un curé de campagne et *Mouchette*

ARCHIVES

Bernanos

n° 7

PARIS — LETTRES MODERNES — 1978

SIGLES ET ABRÉVIATIONS

Dans les références des textes cités, sauf mention contraire, la pagination renvoie à :

I   *Œuvres romanesques suivi de Dialogues des Carmélites* (Paris, Gallimard, 1974, « Bibliothèque de la Pléiade »). [Œ,I]

II   *Essais et écrits de combat,* I (Paris, Gallimard, 1972, « Bibliothèque de la Pléiade »). [Œ,II]

Bull.   *Bulletin de la Société des Amis de Georges Bernanos.*

*Corr.,*I   *Correspondance.* T. I. [*Combat pour la vérité*] *(1904—1934).*

II   T. II. [*Combat pour la liberté*] *(1934—1948).* Paris, Plon, 1971.

ÉB   *Études bernanosiennes.*

À l'intérieur d'un même paragraphe, les séries continues de références à un même texte sont allégées du sigle initial commun et réduites à la seule pagination ; par ailleurs les références consécutives à une même page ne sont pas répétées à l'intérieur de ce paragraphe.

Toute citation formellement textuelle se présente soit hors texte, en petit caractère romain, soit dans le corps du texte en *italique* entre guillemets, les soulignés du texte original étant rendus par l'alternance romain/italique ; mais seuls les mots en PETITES CAPITALES y sont soulignés par l'auteur de l'étude (le signe * devant un fragment isolé de son contexte attestant les petites capitales ou l'italique de l'édition de référence).

BERNANOS ET JOUVE

Sous le soleil de Satan et *Paulina 1880*

essai de lecture parallèle

par Joseph JURT

Sous le soleil de Satan nous apparaît, de nos jours, comme un moment de rupture : rupture avec l'esprit de l'après-guerre, défi lancé à cette « *immense gaudriole* » (II, 1040), apparition soudaine et fulgurante du livre « *au firmament des lettres françaises* » [1] selon la métaphore de Daudet. Puisque cette œuvre a survécu et nous touche encore, nous sommes tentés de l'isoler dans son unicité. Elle faisait pourtant partie, pour les contemporains de 1926, d'un vaste mouvement de la conscience collective et se joignait à d'autres ouvrages qui exprimaient les mêmes préoccupations. Inutile d'invoquer des influences réciproques. Disons plutôt avec Goldmann que, dans les grands ouvrages d'esprit, se manifestent les tendances affectives, intellectuelles et pratiques d'une société à un moment donné [2].

De la production littéraire de 1926 se dégagent ainsi deux tendances thématiques imbriquées l'une dans l'autre mais tout à fait significatives et dans lesquelles *Sous le soleil de Satan* s'insère aisément, l'une cristallisée autour de la figure de Satan, l'autre consacrée à la mystique.

Sous le soleil de Satan de Bernanos, *Les Faux-monnayeurs* de Gide et *Monsieur Godeau intime* de Jouhandeau avaient jeté le public de 1926, selon l'expression de B. Crémieux, « *en plein satanisme* » [3]. La même année, Lévis-Mirepoix devait publier *Le Voyage de Satan*, Alzir Hella et Olivier Bounac offraient enfin une traduction des *Élixirs du Diable* de Hoffmann, livre dans lequel Henri Heine avait découvert « *les choses les plus terribles, les plus effrayantes que puisse imaginer l'esprit humain* » [4]. Le Docteur Jean Vinchon et M͏ᶜ Maurice Garçon devaient donner, en 1926 également, une étude érudite intitulée *Le Diable*. Dans le même mouvement s'insèrent l'article de Marcel Brion sur William Blake publié dans *Le Navire d'argent* ainsi que l'ouvrage d'Émile Dermenghem, publié comme le livre de Bernanos dans la collection « Le Roseau d'or », consacré à *La Vie admirable et les Révélations de Marie des Vallées* ; on n'a pas manqué, par ailleurs, de rapprocher les épreuves de Marie des Vallées, qui fit le vœu d'être damnée pour les pécheurs, si telle était la volonté de Dieu, de celles de Donissan [5]. Cette multitude de publications devait inciter Gaston Picard à une série d'enquêtes, dans *L'Intransigeant*, sur le Diable, ouverte le 25 octobre 1926 par la réponse de Bernanos [6] à laquelle devaient faire suite celles de A. Robida, M. Garçon et Jean Vinchon, Mme Gyp, Gil Robin et Roland Dorgelès. Dans *Les Nouvelles littéraires* du 4 septembre 1926, B. Crémieux donna une analyse pénétrante de ce phénomène sous le titre « Le Retour de Satan ». Après avoir judicieusement invoqué Dostoïevski [7] comme source littéraire du néo-satanisme de Gide et de Bernanos, le critique souligne le bouleversement « *qu'apporterait à la psychologie, à notre morale humaine, si elle se généralisait, cette rentrée du surnaturel dans notre existence* ». Car l'affirmation de valeurs métaphysiques devait mettre en question l'humanisme rationaliste ainsi que son « empirisme moral » universellement admis malgré la différence de doctrines. « *Le retour à Satan, c'est-à-dire la mise en pratique de la signification surnaturelle de la vie humaine* [telle est la conclusion de Crémieux], *implique un divorce complet dans la vie quotidienne des croyants et des non-croyants, des surnatura- listes et des humanistes.* » [7].

L'empirisme moral rationaliste devait également être mis en question par la seconde tendance manifestée dans les lettres vers 1926 : la littérature mystique. De cette dernière témoignait la publication de *La Merveilleuse Vie de Jésus* d'Alphonse Séché, la réimpression des *Moines* de Montalembert et la *Sainte Lydwine de Schiedam* du P. Menfels, *Sainte Marie-Madeleine de Pazzi* de M. Vaussard, *La Vie des Justes* de Don Martene. De 1926 date également la publication par Marcel Péguy du *Mystère de la charité de Jeanne d'Arc*, inachevé dans son édition de 1910. Il n'est pas illicite de citer dans ce contexte le *Journal de Salavin*, que Duhamel fit paraî- tre en 1926, et dont le héros aboutit à cette conclusion : « *Nul choix : la sainteté ou le néant* » [8]. Inspiré par cette vogue, François Mauriac consacra l'éditorial des *Nouvelles littéraires* du 12 juin 1926 aux « *romans mystiques* » et l'auteur de *Thérèse Desqueyroux* perçut très bien ce qui séparait cette littérature mystique — il parla notamment de *Sous le soleil de Satan* et de *La Chercheuse d'amour* d'Artus — de l'humanisme, fût-il d'inspiration chrétienne : « *Il n'est pas donné à tout le monde de connaître Satan comme une personne. Un romancier mystique nous introduit de plain-pied dans le surréel, et cela est admirable* » et le romancier continue en défendant sa propre position : « *Il ne faut pas qu'un tel exemple nous tourne la tête ; ne forçons pas notre talent : à peine sommes-nous capables de relever dans les actes humains les traces de Dieu* [...] *et c'est pourquoi très pauvrement nous étudions l'homme — non pas le solitaire ni le saint, mais l'homme du troupeau, notre semblable, notre frère.* »

La poussée de la littérature mystique, que François Mauriac n'avait pas manqué de commenter, fut même enregistrée à l'étranger. Le *Times Literary Supplement* plaçait son feuilleton du 1er juillet 1926 sous le signe du roman mystique en France (« The Mystical Novel in France ») en rapprochant outre *La Chercheuse d'amour* (de L. Artus) et *Hiver* (de C. Mayran) notamment *Paulina 1880* (de P.J. Jouve) de *Sous le soleil de Satan*.

Ce dernier rapprochement est, en effet, loin d'être fortuit. La sortie en 1972 du film *Paulina 1880*, tourné à l'écran par J.-L. Bertucelli, nous a incité à une lecture parallèle du roman de Pierre Jean Jouve, publié en 1925 à la N.R.F., et de *Sous le soleil de Satan* ; nous avons été surpris de voir combien les deux œuvres sont accordées l'une à l'autre, jaillies sans doute de la même source collective.

*

On est frappé, de prime abord, par la similitude de la structure globale des deux œuvres, structure qui s'articule en trois mouvements : refus de l'ordre établi — quête de l'absolu —, échec et dénouement. Les étapes, à peine nommées, nous apprennent que les deux romanciers n'entendent pas peindre « l'homme du troupeau » mais des êtres exceptionnels dont les passions risquent de brûler les bornes de « l'empirisme moral » invoqué par B. Crémieux.

L'ordre établi pour Paulina, c'est sa famille de meilleure bourgeoisie milanaise. Le jeune être étouffe dans ce monde clos, enfermée à clef chaque nuit dans sa chambre, accompagnée constamment par une gouvernante, surveillée jalousement par son père et ses frères [9]. Plus encore que cette claustration matérielle, pèse sur la jeune héroïne, l'atmosphère morale de la famille, fermée sur elle-même, n'offrant aucune ouverture, ne connaissant « *ni fêtes ni fantaisies ni plaisirs, ni âpreté ni tragédie mais beaucoup de méfiance* » (*P*,23). Les personnages qui l'entourent s'affaissent dans leur médiocrité, ainsi son père « *d'une nature lourde et concentrée, apparemment sans agitations et sans histoire* » (21) ou son frère Cirillo, « *ce raseur de murailles, ce pharisien* » (118). Pour être médiocre le milieu n'en est pas moins hypocrite. Les hommes secrètement athées souhaitent que leurs sujets restent croyants et obéissants pour qu'ils acceptent l'ordre établi. Le père tient à ne pas laisser derrière lui sa fille, « *dont la fortune croissait d'année en année* » (89) [10], « *exposée à devenir la maîtresse d'un prélat quelconque ! Pandolfini, sur le tard, accusait les prêtres, mais il n'osait crier trop haut de peur de passer pour franc-maçon* » (90). Et, s'il arrive à ces riches bourgeois de caresser des idées anti-autrichiennes et garibaldiennes, c'est dans l'espoir de les récupérer à leur profit concentré « *autour d'intérêts religieux et d'intérêts financiers* » (23). Dans sa lecture cinématographique de *Paulina 1880*, J.-L. Bertucelli a été très sensible aux traits marquants de cette société dans laquelle vit l'héroïne, la dimension religieuse étant selon lui liée « *à des structures sociales précises* » [11] et le cinéaste retrouvait par là la perspective de son premier film *Remparts d'argile* : « *C'est la même protestation contre une société injuste, étouffante, opprimante.* » [12].

Un milieu étroit et morne qui s'oppose à l'épanouissement d'un jeune être est évoqué avec non moins de force au début de *Sous le soleil de Satan*. À la bourgeoisie milanaise de *Paulina 1880* correspond ici le milieu petit-bourgeois rural de la France des années Vingt dont la situation est décrite avec précision. La famille Malorthy appartient à cette nouvelle classe montante qui s'est élevée grâce au commerce et qui a transféré son allégeance des anciennes autorités — curé, grand propriétaire — aux nouveaux notables — députés, médecins, instituteurs — représentés ici par Gallet : « [...] *un médecin, c'est l'instruction, c'est la science...* [...]. *C'est le curé du républicain.* » (Œ,I,72). L'idéologie républicaine cache pourtant mal de solides intérêts économiques (« *Car le doctrinaire en révolte* [...] *ne fait souche que de gens paisibles.* », 60), tout comme un apparent anticléricalisme n'arrive pas à masquer l'angoisse sexuelle qui perce à travers une affirmation telle que : « *Les nonnes travaillent les filles en faveur du prêtre* [...]. » (69). Analogie frappante aussi avec le milieu Pandolfini cette conception de la religion, chez la mère de Mouchette, comme d'une morale complice de l'ordre établi (68)[13]. En parfait représentant de la petite-bourgeoisie, Malorthy se montre docile par en-haut (député, instituteur) et répressif par en-bas. Et Bernanos a fortement marqué la structure autoritaire de la famille petite-bourgeoise, qui est en même temps unité économique (petite entreprise), régie selon la seule volonté du père[14]. L'autorité du mari passe pour valeur absolue et Malorthy « *n'[entend] pas, qu'on plaisant[e] sur le droit conjugal* » (69). Les rapports du père à l'égard de la femme et de la fille sont ceux de l'obéissance imposée (à la femme : « *tu devais m'obéir* », 69 ; à la fille : « *tu vas me promettre* [...] *d'obéir les yeux fermés* », 71) ; situation acceptée par la mère qui « *n'avait jamais espéré pour elle-même d'autre aventure qu'un mariage convenable* » (68) ; elle se résigne à être réprimée, à sombrer dans les convenances et la médiocrité. La médiocrité est également le sort du mari qui, incapable d'une passion ou d'une révolte ouverte sur l'avenir (« *Il était de ces bonnes gens qui savent porter la haine, mais que la haine ne porte pas.* », 67), prend sa revanche des humiliations essuyées dans la vie au sein de la famille, « *institution nécessaire, puisqu'elle met à [sa] disposition, et comme à portée de la main, un petit nombre d'êtres faibles, que le plus lâche peut effrayer* » (70). Cet univers oppressif où la femme n'est guère mieux traitée que l'héroïne dans le douar des *Remparts d'argile* (« *Je n'aurais pas cédé pour un garçon, dit [Malorthy], mais une demoiselle...* », 61) ne peut apparaître à Mouchette que comme une « *cage étroite* » (75) semblable à la cage dorée de Paulina [15].

Mais ni Mouchette ni Paulina ne sont faites pour se conformer à ce milieu fermé et médiocre. En Paulina sommeille un « *être passionné* » (*P*,14) qui doit « *surgir un beau jour au milieu des personnages tristes et muets de sa famille* ». Cette passion latente s'exprime dans un premier temps sur le mode du désir, d'une attente dont l'objet reste encore vague : « *Il lui semblait toujours qu'elle attendait quelque chose d'admirable* » (45) à l'instar de Mouchette « *attendant le moment d'oser, et de vivre* » (*Œ*,I,68), désireuse d'« *affront[er] un monde inconnu* ». Ce désir est imaginé comme ouverture (« *Une porte allait s'ouvrir* », *P*,45) [16] aussi bien par Paulina que par Mouchette qui parle de la « *porte* [...] *sur l'avenir et la joie* » (*Œ*,I,73). Ce qui caractérise les élans des deux héroïnes c'est leur détermination, la volonté d'aller jusqu'au bout ; Mouchette est parmi celles « *qui jouent toute leur chance en un coup* » (68), prête à « *tout sacrifier à ce qu'on ne connaît pas* ». Même soif de l'absolu chez Paulina : « *Je veux avoir le monde à moi, Milan, les hommes, tout* » (*P*,40), bref « *Paulina voulait tout ou rien* » (77).

Cette quête héroïque de valeurs absolues renvoie à des traits similaires de la vision du monde des deux écrivains. Aucun doute que Bernanos exprime à travers l'exigence d'absolu de son héroïne une aspiration qui lui est propre : « *Tout ou rien, voilà le mot d'ordre...* » (*Corr.*,I,147), écrivit-il dès 1918 dans une lettre à Dom Besse [17] ou plus tard dans un entretien : « *Être héroïque ou n'être plus.* » (*Œ*,II,1223). On dirait, dans une première approximation, à la suite de Goldmann, que de telles aspirations absolues caractérisent la conscience tragique qui « *ne connaît ni degrés ni passage progressif entre le rien et le tout, parce que pour elle tout ce qui n'est pas parfait n'est pas, parce qu'entre la notion de présence et celle d'absence elle ignore celle de rapprochement* » [18].

L'ardeur des filles de l'absolu ne saurait se contenter de l'absence d'un objet à investir affectivement. Ainsi Mouchette « *s'est lassée d'attendre on ne sait quoi, qui ne vient jamais* [...]... [...] *elle est partie, et elle est allée plus loin qu'aux Indes* » (Œ,I,69). Et l'écrivain exprime toute la signification qu'il entend donner à cette ouverture par l'image très forte de la « *route* [...] *droite, inflexible, qui s'écarte toujours, et dont nul ne revient* » (70), image qui indique clairement une finalité qui s'insère, en fin de compte, dans une histoire du salut, par opposition au mouvement cyclique (« *d'un univers rond comme une pelote* ») qui connote un modèle biologique de retour au cosmos. Le désir inassouvi qui guide la jeune fille se porte d'abord sur le marquis de Cadignan imaginé « *comme un roi* » (67) ou un « *héros* » (72), choisi surtout comme image opposée au père médiocre. L'image que Paulina se fait de son amant est déterminée par les mêmes traits oppositionnels ; Michele se distingue, à ses yeux, du milieu bien-pensant de sa famille par son athéisme ouvert, son élégance et son savoir, et puis « *il est si riche qu'il ne prend même pas la peine de s'occuper de son argent comme papa* » (*P*,56). Le choix de Mouchette cependant implique un mouvement de refus, de défi face à l'autorité paternelle beaucoup plus prononcée que chez Paulina ; l'héroïne de Bernanos s'affirme par la révolte et acquiert ainsi sa liberté face à son milieu : « *Cette petite vie bourgeoise, respectable, l'honnête maison de brique, [...] les égards que se doit à soi-même une jeune personne, fille de commerçant notable —*

oui, la perte de tous ces biens ensemble ne l'inquiétait pas une minute. » (Œ,I,75). Cette révolte, qui se voulait absolue, est déçue cruellement lorsque Mouchette découvre l'objet idéalisé de son désir aussi médiocre que le père qu'elle avait fui : « [...] *un autre rustre, un autre papa lapin !* » (Œ,I,83). Déception semblable à celle de Paulina lorsque son amant lui propose le mariage après la mort de sa femme ; Paulina refuse une telle solution de compromis. Après avoir été la maîtresse de Michele, elle n'entend pas se plier aux convenances sociales. « *Légitimer ma faute comme une fille de village ?* » (*P*,140) demande-t-elle à son amant. « *J'ai porté le défi* [...]. *Je reste pécheresse devant toi. Ce ne sont pas ces menteurs et ces adultères, ces sépulcres blanchis, ces méchants qui vont avoir à porter un jugement sur la vie de Paulina Pandolfini.* »

Soulignons dès à présent que la similitude de la structure renvoie à une similitude de valorisations chez les deux écrivains. Ni Jouve ni Bernanos ne prennent parti pour les conformistes, mais pour ceux qui se révoltent, ceux qui vont jusqu'au bout. Le clivage essentiel ne se fait pas entre le bien et le mal, mais entre ceux qui cherchent l'absolu et ceux qui se confinent dans l'inauthentique ou, si l'on veut, entre les mystiques et les non-mystiques [19]. Cette vision du monde, nullement opposée à l'ontologie chrétienne, s'articule comme refus du moralisme, le moralisme étant, selon J. Daniélou, « *en un sens le grand obstacle à la grâce* » parce qu'il « *crée une satisfaction de soi, celle des pharisiens* » [20]. Cette optique, qui, de nos jours, paraît aller de soi, se heurtait cependant dans les années Vingt à une résistance tenace, notamment de la part des catholiques qui confondaient trop souvent la foi avec ce que Bataille appelle une « *morale vulgaire* » [21] au service de l'ordre établi. Pour s'en convaincre on n'a qu'à relire quelques comptes rendus des feuilles catho-

liques d'antan. Le **P.** Tonquédec estimait à propos du Prologue de *Sous le soleil de Satan* que « *cette histoire de
séduction et de meurtre aurait pu être sinon supprimée, du
moins réduite* » [22]. Aux yeux du critique de *La Libre Belgique*,
on aurait pu enlever l'histoire de Mouchette ou la réduire à
peu de chose « *sans beaucoup nuire à la signification de
l'ouvrage* » [23]. Et Charles Bourdon suggérait dans la bien-
pensante *Revue des lectures* de substituer au Prologue dans
une édition postérieure « *une analyse exacte, sincère, com-
plète même et n'éludant aucun fait, mais sobre et écrite en
termes décents* » [24]. Ces réactions moralisatrices, qui ne conçoivent qu'une littérature d'édification, furent parfaitement
caractérisées par l'auteur de *Sous le soleil de Satan* : « *Pour
ces âmes arides, le pauvre et le pécheur sont de ces monstres
contre lesquels on réclamerait volontiers la protection des
pouvoirs publics. Un catholique médiocre se reconnaît à ce
signe qu'il méprise infiniment moins le péché que le pécheur.
Et il a pour le pécheur le même mépris — ou pis encore —
la même hautaine compassion qu'il a pour le pauvre.* » [25].

Mais ni Bernanos ni Jouve ne se sentent la vocation de
prêcher les dévots [26], de donner des leçons de morale [27]. Ils
entendent suivre l'aventure de ceux qui vont plus loin, ceux
qui, incapables de vivre dans le discontinu, poursuivent une
quête mystique de l'unité [28]. Cette unité perdue, Paulina et
Mouchette cherchent à la reconquérir par l'Éros — Éros
charnel et Éros divin —, voie d'accès au sacré. L'Éros cependant n'est pas compris dans son sens restreint d'« *obsession
de l'activité sexuelle* » (p.56 [29]) mais comme ce qui « *a trait
à la conjonction amoureuse pour l'unité* » ce que P.J. Jouve
n'hésite pas à nommer le « *centre même de l'âme* ». Le terme
d'*Éros* ne renvoie pas au conflit mauriacien de la chair et de
l'esprit [30]. L'Éros, « *assez grand Seigneur, pour que nous puis-
sions reconnaître en lui l'esprit aussi bien que la matière* »

(p.42 [29]), est en premier lieu une force innocente, un élan vital, une tension merveilleuse de toutes les facultés du corps et de l'âme vers une communion avec l'harmonie de la nature. Cette énergie créatrice est ressentie par la jeune Paulina d'une manière très intense. Par l'amour, elle rentre « *dans l'absolu bonheur près de la terre, du lac, des arbres* » (*P*,73). L'écho de ce bonheur se répercute dans le monde ambiant : « *Toutes les choses se trouvaient modifiées par le seul mystère de la vie* [...] *et il se produisait un état panique de tout ce qui existe* » (74). Et Paulina se réfère explicitement à Rousseau « *sentant* [...] *avec tout son être combien l'homme naturel est bon* » (76).

Il convient de souligner que Bernanos aussi place Mouchette d'abord sous le signe de l'Éros innocent et non sous celui du mal. À l'appétit de vivre de la jeune héroïne répond l'euphorie du cosmos ; les signes de sa joie éclatante sont recueillis dans la nature évoquée dans sa fraîcheur matinale : « *Toujours Germaine reverrait cette pointe de la forêt de Sauves, la colline bleue, et la grande plaine vers la mer, avec le soleil sur les dunes.* [§] [...] *Toujours elle entendra les six belles vaches qui s'ébrouent et toussent dans le clair matin. Toujours elle respirera la brume à l'odeur de cannelle et de fumée, qui pique la gorge et force à chanter.* » (Œ,I,67). Cette expérience sensorielle totale (Mouchette « entendra », « respirera », « reverra »), vécue comme sensation ineffable, est liée au souvenir de l'amant ; le sentiment de félicité, reflété dans la nature, est provoqué par l'amour « *élan transfigurateur* » (p.108 [29]) : « *À seize ans, Germaine savait aimer (non point rêver d'amour, qui n'est qu'un jeu de société)... Germaine savait aimer, c'est-à-dire qu'elle nourrissait en elle, comme un beau fruit mûrissant, la curiosité du plaisir et du risque* [...]. » (Œ,I,68) [31].

« *L'amour, la beauté et le risque* » (*P*,107) c'est ce que

partagent Paulina et Michele ; par sa passion Paulina s'épa-
nouit — elle a conscience « *d'être devenue un nouvel être* »
(45) —, elle atteint l'unité, but suprême de la conjonction
amoureuse, et l'amour charnel et l'amour divin se confondent
dans un même sentiment, « *car elle ne pouvait séparer Dieu
principe de toutes choses d'avec son amour lumière intérieure de toutes choses* » (74).

Cette unité est cependant précaire. L'Éros « *est assailli
de l'intérieur, cerné de l'extérieur, par le sentiment d'être
une faute, de porter la culpabilité* » (p.108[29])[32]. Après les
moments de bonheur l'élan se brise. L'Éros innocent devient
coupable. L'héroïne ressent sa passion pour un homme marié
comme « *énorme péché* » (*P*,95). Sa passion lui paraît coupable par rapport à un autre amour non moins absolu, celui
de Dieu. Depuis sa jeunesse elle voulait « *la mort amoureuse,
l'unité avec l'infinie Présence de Dieu* » (187), mais en même
temps elle éprouve les exigences des sens : « *Paulina voulait
ardemment revenir à Dieu ; mais elle ne pouvait rien renon-
cer de sa passion qui la possédait avec une égale ardeur* » (96).
Ces deux aspirations absolues — l'amour profane et l'amour
sacré — se disputent le cœur de l'héroïne et provoquent
en elle un dédoublement profond de sa conscience :
« *Plus d'unité et plus d'espoir d'unité. Le déchirement
éternel.* » (231).

Pour Mouchette aussi l'unité, entrevue « *un matin si
clair et sonore* » (Œ,I,67), se révèle comme illusion. Son
amant n'est pas à la hauteur de son audace ; à son goût du
risque il répond par la lâcheté, à sa soif de l'absolu il oppose
des compromis ; elle sent « *sa propre force, en ayant trouvé
la mesure dans la faiblesse d'autrui* » (85). Mais entre la forte
et le faible la communication ne peut plus s'instaurer. En
vain a-t-elle « *défié le jugement du monde entier* » (83). Et
l'écrivain souligne à deux reprises l'effet profondément trau-

matisant de cette déception, de cette unité manquée, trauma-
tisme qui devra déterminer l'avenir de l'héroïne : « [...] *les
événements qui vont suivre étaient déjà comme écrits en
elle.* » ; et un peu plus loin : « *Dès ce moment, son proche
destin se pouvait lire au fond de ses yeux insolents.* » (85-6).
Le meurtre de l'amant est donc lié indubitablement à l'expérience de l'Éros déçue ; le meurtre pousse jusqu'à l'extrême
ce mouvement ébauché par l'activité érotique, cette recherche de la continuité au-delà de la discontinuité individuelle [33].

Le destin de Paulina dessine une courbe semblable.
L'unité que les amants cherchaient à atteindre dans leurs
nuits loin de la vie quotidienne se révèle inaccessible ; ils
se retrouvent dans leur solitude foncière, se heurtent à
l'incommunicabilité de leurs consciences. Tandis que « *plus
loin ou plus bas que leur passion, ou même sans elle, la vie
de leur corps unique poursuivait son propre plaisir et accom-
plissait sa destinée* » (*P*,128), Michele se heurte aux mystères
de l'âme de Paulina. Car l'amour auquel celle-ci est attachée
de toutes ses forces la hante comme péché. Le péché, dit
Michele, c'est « *mon ennemi dans ce cœur qui m'aime* » (106).
Paulina n'abandonnera pourtant pas sa quête du salut jugée
par l'amant comme fantomatique et dans son incompréhen-
sion douloureuse il s'exclame : « *Ton âme, Paulina, ton âme
est une enfant, elle reste une enfant sauvage et j'en ai peur.* »
(107). Incapable de vivre, après son passage au couvent, dans
le déchirement incessant, Paulina va tuer Michele. Comme
chez Mouchette, le meurtre procède de l'Éros et de la soif
d'unité [34], meurtre par ailleurs préfiguré dès le début du
roman : l'enfant préfère tuer, « *par sa main à elle* » (27), le
chevreau adoré lorsqu'elle apprend que l'animal est voué à
la mort. « *La figure Amour-Mort* [dit P.J. Jouve] *signifie que
je ne puis aimer qu'avec l'accompagnement de la mort et si
possible en tuant.* » [35] — ce qui apparaît clairement dans les

paroles prononcées par Paulina après le meurtre : « *Je l'ai aimé. Je l'ai toujours aimé. Je l'ai tué, pourquoi ? Est-ce que l'on peut savoir ? Est-ce qu'on peut deviner ? parce que je l'aimais trop.* » (244).

On aura noté que le meurtre n'est ni chez Mouchette ni chez Paulina un acte froidement prémédité [36]. L'Éros joue comme motivation inconsciente sur laquelle les héroïnes ne s'interrogent qu'après l'acte. D'autres filles, se dit Mouchette, « *ignoreront toujours qu'étirant leurs jeunes griffes, un soir d'orage, elles auraient pu tuer en jouant* » (Œ,I,95). Ce n'est pas la suppression de l'amant voulue (« *Elle ne savait point pourquoi elle avait tué Michele* », P,248), c'est un au-delà qui est visé, innommable pour Mouchette (« *Ce qu'elle avait voulu,* [...] *elle ne savait plus quel nom lui donner. L'avait-elle d'ailleurs jamais nommée ? Ah ! ce n'était pas ce gros bonhomme étendu...* », Œ,I,95), plus claire pour Paulina qui espérait retrouver l'unité primaire et l'amour sacré en supprimant l'objet de l'amour charnel qui la séparait de Dieu. Elle pense avoir tué parce que Dieu a conduit sa main. « *J'ai lu, j'ai bien lu ce que Dieu a écrit sur le mur :* DANS QUELQUES HEURES TU LE TUERAS. *Dieu haïssait cet homme parce qu'il était mon amant.* » (P,244). Jouve insère ainsi le meurtre dans une chaîne fatale qui n'est pas sans rappeler le destin (Œ,I,65,83) inscrit d'avance en Mouchette [37].

Ni Mouchette ni Paulina n'avaient su et pu assouvir leur soif d'unité dans l'amour humain ; désormais elles se tourneront dans une quête héroïque de la transcendance. Mouchette ne cherche plus un objet humain d'amour pour lui-même ; celui-ci — Gallet — n'est plus qu'un moyen pour atteindre le *mal absolu* : « [...] *le plaisir doit être recherché pour lui-même... lui seul ! Qu'importe l'amant !* » (Œ,I,98). Tandis que Paulina éprouve la jouissance érotique comme péché, Mouchette ressent une jouissance sensuelle en faisant le mal qui n'est pas dans la chair mais dans l'esprit : le mensonge [38] : « *Chaque mensonge était un nouveau délice dont sa gorge était resserrée comme d'une caresse ;* [...] *elle eût menti pour mentir. Elle se souvint plus tard de cet étrange accès comme de la plus folle dépense qu'elle eût jamais faite d'elle-même, un cauchemar voluptueux.* » (89-90) [39]. Cet amour du mal pour lui-même n'est que la recherche d'une nouvelle unité, la fusion avec le mal personnifié, le démon, fusion ébauchée devant Gallet : « *Un autre se plaît et s'admire en moi...* [...] *Mon abominable amant !* » (98), et exprimée clairement lorsqu'elle « *appela — du plus profond, du plus intime — d'un appel qui était comme un don d'elle-même, Satan* » (212). La démarche de l'héroïne telle que l'imagine Bernanos n'a rien d'odieux ou de ridicule, elle ne manque pas de grandeur ; ce sont des « *noces* » (213), un « *don* » (212), une sainteté marquée du signe négatif, une mystique à rebours — et c'est à dessein que Bernanos appelle Mouchette « *une mystique ingénue* [...] *sainte Brigitte du néant* » (213).

Paulina, après la mort de son père et de la femme de son amant, ressent sa faute avec une intensité décuplée, elle renonce à l'amour coupable, entre au couvent, soucieuse de s'unir uniquement à Dieu dans une quête héroïque du *bien*, une quête qui n'est pas sans rappeler celle de Donissan parallèle à la voie de Mouchette. Les démarches de Paulina, Mouchette et Donissan sont des démarches mystiques (positives ou négatives) qui ont ceci de commun qu'elles « *tendent vers un néant de l'être, qu'elles sont destructrices de toutes les limites, qu'elles visent à dissoudre toute détermination* [...]. *Le pécheur et le saint nient tout ce qu'ils rencontrent et leur désir se porte toujours sur un au-delà* » [40]. Comme Mouchette — « *sainte Brigitte du néant* » (Œ,I,213) — mais dans un sens opposé, Paulina recherche l'anéantissement, le *nada* des mystiques [41]. Lorsque Dieu se tait c'est parce que son âme n'est pas assez vide et qu'il y reste quelque chose d'elle-même (*P*,157). Elle entend vider son âme et « *l'élever tout d'un coup pour la jeter vers Lui* » (167). En mourant à elle-même, elle sera prête pour « [*Son*] *baiser* » (168), prête pour le mariage mystique (« *Oh mon Époux, tiens toujours embrassée l'humble épouse* », 207) qui correspond à l'expérience (négative) de Mouchette, les « *noces* » (*Œ*,I,213) avec le Démon « *consommées dans le silence* ».

L'attitude mystique, « destructrice de toutes les limites », n'exclut pas le sacrifice du salut individuel. Ainsi Paulina fait sienne l'interrogation d'un vieux mystique allemand : « *Mais si la volonté de Dieu était de me jeter en enfer ?* [...] *Mais si vraiment il me jetait en enfer* [...] *je l'embrasserais si bien qu'il lui faudrait venir avec moi en enfer* » (*P*,145). On se souvient de Donissan prêt à sacrifier son salut (I,269). Attitude proprement mystique, dit J. Daniélou, qui suppose « *l'acceptation du risque* [...], *un appel à entrer dans des voies neuves, non foulées* » tandis que « *l'attitude morale se caractérise par la préoccupation du salut* » [42]. Paul Claudel n'a pas manqué de relever le caractère héroïque d'une telle attitude chez Donissan « *l'athlète resté humain, trop humain* » (*Œ*,I,1764) qui ne craint pas de jeter « *tout sur la table, même son salut éternel* ».

La même volonté héroïque anime Paulina lorsqu'elle s'impose, à l'instar de Donissan, des macérations afin de punir le corps. Ce qui est tenu pour une expiation n'est au fond qu'une déviation masochiste sous l'influence du sur-moi sadique. Ce sur-moi, c'est l'exigence de tout ou rien, c'est la soif d'une pureté absolue qu'elle cherche à atteindre.

La recherche héroïque de l'absolu se solde finalement par un échec, sensible, chez Donissan, notamment lors du miracle manqué. Le « *héros* » (*Œ*,I,268) — il est significatif que

Bernanos le désigne ainsi — « *ne demande pitié ni pardon,
mais justice* ». Il « *n'implore pas ce miracle, il l'exige* ». En
athlète, il entend vaincre lui-même son adversaire et il sacri-
fierait tout, même la vie éternelle « *pour que l'ennemi* [...]
fût enfin humilié devant moi par un plus puissant que lui »
(269). Mais cette tension héroïque finit par la défaite face à
« *l'invisible ennemi* » (272). Bernanos indique clairement que
Donissan est, plutôt qu'un saint, « *une espèce de héros de
la vie intérieure* » (*Corr.*,I,226) : « *J'ai voulu montrer que
l'héroïsme lui-même n'est pas contre le diable une arme
assez sûre.* »

Même échec de l'héroïsme chez Paulina ; elle aussi tente
de vaincre le péché de ses propres forces par les purifica-
tions les plus sanglantes. À l'instar de Donissan qui veut
obtenir par lui-même la victoire elle entend mériter par les
œuvres de mortification son salut : « *Comme la monnaie
permet d'acheter une chose, achète avec le sang de ton péché
ton salut.* » (*P*,169). En associant le mal au seul corps qu'elle
punit, l'héroïne fuit le péché et ne l'assume pas et la Mère
Supérieure discerne derrière le goût pour les « *mortifications
excessives* » (163) un « *orgueil très vif* ». Son ascétisme masochiste qui est, en fin de compte, une sensualité à rebours,
échoue. Paulina n'a plus d'extases : « *Entre elle et son Dieu
s'était reformé l'écran de verre et cette fois pour toujours
[...]. Sincère elle savait que l'on ne peut jamais s'unir à
Dieu.* » (223).

Mouchette, qui avait cherché héroïquement la grandeur
dans le mal, échoue, elle aussi, lorsque Donissan lui révèle
le caractère illusoire de sa singularité rêvée : « *Ta vie répète
d'autres vies, toutes pareilles, vécues à plat, juste au niveau
des mangeoires où votre bétail mange son grain.* » (Œ,I,204).
De même que Paulina et Donissan avaient espéré atteindre
le bien par eux-mêmes, elle avait cru choisir librement le

mal. Donissan la détrompe : « *Pas plus qu'en ce moment-ci votre volonté n'était libre. Vous êtes comme un jouet, vous êtes comme la petite balle d'un enfant, entre les mains de Satan.* » (200).

Bernanos et Jouve démontrent la tragique grandeur, mais aussi les limites, de l'héroïsme qui ne saurait passer pour valeur absolue dans une perspective chrétienne, car il implique — en l'homme — l'orgueil prométhéen de réussir par lui-même et pose par là la seule nécessité des forces « intramondaines » [43]. Si le monde inauthentique de la médiocrité et celui de l'héroïsme absolu s'excluent, l'héroïsme peut être intégré, ou plutôt dépassé, dans une perspective chrétienne qui pose les réalités « extramondaines » comme essentielles : le mal est inconcevable sans le concours de Satan ; le bien est irréalisable sans l'aide de la grâce ; l'homme, selon l'ontologie chrétienne, n'est pas autonome — ce que Bernanos faisait sentir d'une manière très intense par le double échec de la tentative héroïque de Donissan et Mouchette dans *Sous le soleil de Satan*. Il incarnera la réponse positive dans les figures de Chantal de Clergerie et de l'abbé Chevance qui se sentent faibles par eux-mêmes, préfigurant ainsi l'expérience personnelle de l'écrivain, tenté par l'héroïsme, qui dira son « *goût des grandes âmes* » (*Corr.*,I,312) et sa souffrance de n'être « *pas du tout à leur mesure* » et n'hésitera pas à avouer, en toute humilité, que c'est « *cette idée du "tout ou rien", familière à [sa] jeunesse, qui [l]'a perdu* » (498).

L'issue de la crise de l'héroïsme, provoquée par cette exigence de « tout ou rien », seulement ébauchée dans *Sous le soleil de Satan*, est longuement développée dans *Paulina 1880*, d'abord dans les propos de la Mère Supérieure qui conseille de « *se faire toute petite* » (*P*,176). En incarnant la « *douceur vis-à-vis de Dieu, douceur envers soi-même, dou-*

ceur entre soi et les créatures » (160), la Mère Marie-Margue-
rite fait penser au futur curé d'Ambricourt pour qui la
« *grâce des grâces* » (Œ,I,1258) consiste à « *s'aimer humble-
ment soi-même* ». Paulina suivra cette voie lorsqu'elle aura
quitté le couvent et purgé sa peine ; désormais elle ne refou-
lera plus le péché en le liant au seul corps ; elle l'assume.
Étant allée par le meurtre jusqu'au bout du mal elle n'espère
plus obtenir le salut par sa propre expiation ; le péché irrévocable appelle la grâce. « *Je baise les pieds du Sauveur puisque m'ayant donné le péché il m'a donné le rachat du péché.* »
(*P*,138) ; et l'écrivain dit explicitement que Paulina a atteint
par le « *meurtre une sorte de grâce* » (p.95 [29]). C'est par le
péché assumé, qui détruit l'esprit de suffisance, que passe
le chemin du salut ; cette conception jouvienne qui se réclame
de Kierkegaard (« *C'est seulement par le péché que l'on peut
voir la béatitude* » [44]) n'est pas étrangère à l'univers de Bernanos et notamment à *Sous le soleil de Satan* : « *À la limite
d'un certain abaissement, d'une certaine dissipation sacrilège
de l'âme humaine, s'impose à l'esprit l'idée du rachat.* [...]
*Ainsi l'abbé Donissan n'est pas apparu par hasard : le cri
du désespoir sauvage de Mouchette l'appelait, le rendait indispensable.* » (Œ,II,1100). Le salut de Mouchette est seulement
esquissé par son désir « *d'être conduite au pied de l'église
pour y expirer* » (I,231). La vie « au soleil » de Paulina est
évoquée à travers les longues pages de la fin. La paix qu'elle
a atteinte ne consiste pas dans une plénitude, mais dans le
dénuement spirituel et matériel le plus total ; en apparence
elle a tout perdu : « *Penser que ces deux mains calleuses
que je regarde ont été deux jolies mains et que ces mains
ont tué ! Et penser que dans la créature éteinte que voici
il n'y a plus rien qui puisse concevoir l'idée de meurtre mais
aussi rien qui lui permette d'oublier le meurtre accompli.* »
(*P*,259). Mais en fait elle a tout gagné, « *tout accepté* » (*P*,260),

elle est réconciliée avec elle-même. La grâce qui provient de
son dénuement [45] fait penser au mystère des « *mains vides* »
(Œ,I,1170) du curé d'Ambricourt [46]. Dans sa faiblesse, elle
peut enfin se dire : « *Le soleil brille pour moi aussi* [...].
J'attends à ma place, je serai jugée comme tout le monde. »
(*P*,260). Et au *« Tout est grâce » (Œ,I,1259) du *Journal d'un
curé de campagne* répond le « *Tout est très mystérieux* »
(*P*,259) de *Paulina 1880*. La destinée de Paulina aura décrit
la trajectoire qui va de Donissan « *enragé de se détruire* »
(Œ,I,162) au curé d'Ambricourt soucieux de « *s'oublier* » (1258).

*

La vision du monde qui se dégage de *Sous le soleil de
Satan* et de *Paulina 1880* — dépassement du moralisme par
l'héroïsme, dépassement de l'héroïsme par la grâce — peut
être considérée comme une réponse à la crise du rationalisme
individualiste qui se faisait de plus en plus aiguë dans les
années Vingt. Les écrivains donnaient ainsi, dans leurs
œuvres, une réponse cohérente aux aspirations tâtonnantes
de la conscience collective qu'un contemporain a ainsi
décrites, en 1930 :

Il semble vraiment qu'il y ait quelque chose de changé dans
l'âme française. Le déséquilibre persistant dont elle souffre depuis
la guerre a accru, pour le bien comme pour le mal, sa récepti-
vité intellectuelle et morale. L'expérience qu'elle a faite et qui se
prolonge des dures lois de la vie a ruiné chez beaucoup le culte
des vieilles idoles [...]. Aussi bien a-t-elle fait depuis une douzaine
d'années maintes observations assez nouvelles pour elle, et dont
la vie heureuse ne lui avait pas procuré le bénéfice au même
degré [...]. L'estime et le goût lui sont en partie revenus de
valeurs spirituelles auxquelles, en dehors de cercles dévots, elle
ne prêtait jadis que peu d'attention. Toute une littérature a
fleuri sous nos yeux, qui répond à ces attraits nouveaux. [47]

Paulina 1880 et *Sous le soleil de Satan* s'insèrent parfaitement dans ce courant ; et P.J. Jouve disait dès 1924 chercher
« *dans l'acte poétique une perspective* religieuse — *seule
réponse au néant du temps* » (p.26 [29]). Bernanos, à son tour,
n'a pas caché son intention de défier par son œuvre les ratio-
nalistes, d'écrire pour « *ceux que rebutent* [*le*] *moralisme* »
(Œ,II,1051). Car moralisme et rationalisme posent l'autonomie de l'individu autant que l'héroïsme « intramondain ».
Dans ce contexte, il est significatif que Bernanos ne se
réclame pas tant de Corneille et de son « *sublime grec ou
romain* » que de Racine qui, en surmontant « *l'homme moral* »
a « *retrouvé l'homme pécheur* » (1050) [48]. Poser la réalité du
péché c'est poser celle de valeurs transcendantes (tentation
de Satan, grâce de Dieu), valeurs qui dépassent le rationalisme autant que le mystère de la Communion des Saints
dépasse l'individualisme. La vision du monde de Bernanos
et de Jouve tend à valoriser le pécheur et le pauvre qui ne
s'assoupissent pas dans l'immanence et restent ouverts par
leur faiblesse même à l'irruption du surnaturel ; une telle
valorisation s'oppose radicalement au rationalisme occidental
dont les virtualités fondamentales se sont révélées, d'après
L. Goldmann, dans « *des phénomènes comme* Le Prince, *de
Machiavel, certains aspects de la monarchie absolue, l'œuvre
du marquis de Sade ou les camps de concentration de l'Alle-
magne hitlérienne* » [49].

NOTES

SIGLE COMPLÉMENTAIRE

P   Pierre Jean JOUVE, *Paulina 1880.* Paris, Mercure de France, 1972.

*

1. *Bull.*, n° 17—20, p.2.

2. Lucien GOLDMANN, *Pour une sociologie du roman* (Paris, Gallimard, 1964), p.34.

3. Benjamin CRÉMIEUX, « Le Retour de Satan », *Les Nouvelles littéraires*, 4 sept. 1926.

4. J. VALMY-BAYSSE, p.22 in *L'Ami du lettré* (Paris, Grasset, 1926).

5. Par exemple : René SALOMÉ, « *Sous le soleil de Satan* », *La Vie spirituelle*, nov. 1926, pp.242—4.

6. Reproduite dans *Le Crépuscule des vieux*, pp.60-1.

7. Crémieux dit notamment à propos de la paternité de Dostoïevski à l'égard de Bernanos : « *Les entretiens du saint de Lumbres avec l'abbé Menou-Segrais ne sont pas sans rappeler par leur allure générale ceux d'Aliocha Karamazov avec le père Zozyme et plus encore celui de Nicolas ·Stavroguine avec l'évêque Tikone dans* La Confession de Stavroguine *partie inédite des* Possédés, *dont le vrai titre est en russe* Les Diables. *Après que Stavroguine a fait part à Tikone des visions qui l'assiègent, de la sensation qu'il éprouve d'avoir à ses côtés* "un être méchant, grotesque et raisonnable", *qu'il voudrait prendre pour* "son moi sous divers aspects", *mais en qui il ne peut se défendre de reconnaître le diable, l'évêque lui déclare solennellement :* "Je crois au diable, j'y crois au sens canonique, au diable en tant qu'individu et non en tant qu'allégorie." »

8. *Journal de Salavin* (Paris, Mercure de France, 1926), p.17. Ce jaillissement de la littérature mystique en 1926 a été pertinemment évoqué par Mgr Pezeril : « *Il ne faut pas oublier qu'à l'époque où Bernanos commence d'écrire, l'intérêt pour les mystiques envahit l'esprit public. Non seulement Bremond poursuit sa grande* Histoire, *mais elle est lue. Le curé d'Ars et sainte Thérèse déconcertent la sagesse des sages et exercent un attrait extraordinaire*

[...]. *Valéry lui-même s'intéresse à la traduction de saint Jean de la Croix et voit dans le Père Cyprien un grand écrivain méconnu.* *"Prière et poésie pure"* sont à *l'ordre du jour, même à l'Académie.* » (Daniel PEZERIL, « Imagination poétique et esprit de foi », *Courrier Georges Bernanos*, n° 2-3-4, févr. 1971, p.19).

9. Cf. p.22 : « *Les quatre hommes Pandolfini avaient une seule passion en commun : celle de surveiller jalousement l'existence de Paulina* » et plus loin (p.35) : Lorsque « *la Signorina Pandolfini apparaissait une des "promesses" de la société* [...] *les Pandolfini se décidèrent à prendre des mesures de surveillance exceptionnelles* ».

10. La répression sexuelle exercée sur Paulina est donc liée au maintien des intérêts économiques du droit d'héritage et correspond parfaitement à la situation de la famille autoritaire de la couche dominante décrite par Reich : « *La morale de la chasteté s'applique donc d'abord et en premier lieu aux membres féminins de la couche dominante. Elle doit assurer la conservation de la propriété acquise par l'exploitation des couches inférieures.* » (W. REICH, *La Psychologie de masse du fascisme* [Paris, Payot, 1972], p.100).

11. Jean-Louis BERTUCELLI, « Le Premier personnage du roman est le décor », *Le Monde* [*des livres*], 9 juin 1972. Propos recueillis par Françoise WAGENER.

12. Cité dans Jean ROCHEREAU, « *Paulina 1880.* Le feu sous la cendre », *La Croix*, 18-19 juin 1972.

13. Signalons un autre trait typiquement petit-bourgeois : la « faute » de Mouchette est réprimandée parce qu'elle compromet les apparences, la réputation de la famille étroitement liée aux intérêts économiques : « [...] *tout le monde peut nous montrer demain du doigt, nous, des gens sans reproche, qui font honneur à leurs affaires* [...]. » (I,70).

14. Voir W. REICH, *op. cit.*, p.109.

15. Le destin de Paulina et Mouchette n'est pas sans rappeler celui de Thérèse Desqueyroux, évoqué par Mauriac en 1927, autre assoiffée d'absolu enfermée dans « *cette cage aux barreaux innombrables et vivants, cette cage tapissée d'oreilles et d'yeux, où, immobile, accroupie* [...] *elle attendait de mourir* » (François MAURIAC, *Thérèse Desqueyroux* [Paris, Le Livre de Poche Université, 1965], pp.58-9).

16. Un autre jour Paulina exprime des désirs plus concrets mais toujours imaginaires : « *Je voudrais être emportée par un brigand, ou faire un voyage dans la compagnie d'un prince, voir un ange marcher sur l'herbe, ou adopter un enfant pauvre* [...]. » (P,47).

17. La formule revient peu après dans une lettre à sa femme : « *J'éprouve* [...] *du plaisir à me répéter qu'il* [Dieu] *me donnera tout ou rien.* [...] *"Tout ou rien" est la règle de l'âme humaine* [...]. » (*Corr.*,I,148-9). À propos de *La Grande peur des bien-pensants* l'écrivain dira : « [...] *je m'y engage à fond, tout ou rien.* » (356, n.3).

18. Lucien GOLDMANN, *Le Dieu caché* (Paris, Gallimard, 1971), p.59. Bernanos n'ignore pas les virtualités tragiques que la détermination héroïque de Mouchette implique : « [...] *le tragique était dans son cœur.* » (Œ,I,70).

19. Nous avons mis en évidence cette structure globale du roman dans une analyse antérieure de *Sous le soleil de Satan* (dans notre thèse *Les Attitudes politiques de Georges Bernanos jusqu'en 1931* [Fribourg [Suisse], Éditions Universitaires, 1968], pp.161—91) et nous sommes pleinement d'accord avec Henri Giordan quand il affirme que « *l'opposition est moins entre le saint et la pécheresse qu'entre, d'une part, le couple Mouchette—Donissan, et, d'autre part, une foule de comparses que Bernanos désignerait comme des "médiocres" ou des "imbéciles"* » (p.133 in *Bernanos. Centre culturel de Cerisy-la-Salle* [Paris, Plon, 1972]).

20. Jean DANIÉLOU *et al.*, « Discussion sur le péché », *Dieu vivant*, n° 4, 1945, p.93. On rapprochera de cette affirmation de Daniélou les propos du P. Tesson cités par Bataille : « *Les manquements évidents, si graves soient-ils, aux obligations contractées, ne sont peut-être pas les plus lourdes de conséquences, car alors les fautes sont nettement connues comme telles. Ce qui est plus préjudiciables à la vie spirituelle, c'est de s'enliser dans la médiocrité ou de se complaire dans une satisfaction orgueilleuse.* » Une telle attitude, sous-entendue dans les romans de Jouve et de Bernanos, n'est pas centrée, comme Bataille le remarque à bon droit, « *sur la garantie de la vie sociale et individuelle* [...] *mais sur la passion mystique* » (Cité d'après Georges BATAILLE, *L'Érotisme* [Paris, U.G.E., Coll. « 10/18 », 1972], p.252).

21. *Dieu vivant*, n° 4, 1945, p.83.

22. *Le Correspondant*, 25 juill. 1926.

23. *La Libre Belgique*, 3 mai 1926.

24. *La Revue des lectures*, 15 mai 1926. De tels « jugements » désuets nous font mesurer les obstacles auxquels se heurtaient, dans l'entre-deux-guerres, et même après, les écrivains censés être catholiques auprès du public bien-pensant. Ces interdits ne fonctionnaient pas seulement comme critères de jugement pour la critique ; ils furent intériorisés par certains écrivains eux-mêmes. En témoigne le passage suivant de Baumann sur les passions amoureuses : « *La grande règle pour l'artiste chrétien est de ne rien peindre qui laisse aux lecteurs l'impression dominante d'un trouble séduisant, de restreindre les épisodes charnels, d'en faire sentir les suites douloureuses, de présenter le péché comme le péché, la honte comme la honte.* » (*Les Lettres*, mai 1926).

25. Georges BERNANOS, « Lettre à Paul Werrie », *Dernières Nouvelles* [Bruxelles], 21 mars 1927.

26. Bernanos dit dans la lettre précitée : « *J'écris pour ceux qui ne font pas oraison* ».

27. Michel Cournot n'a pas tort d'écrire à propos de *Paulina 1880* : « *Jamais il est vrai roman ne s'est posé, avec tant de simplicité, hors de toute "morale".* » (*Le Nouvel Observateur*, 5 juin 1972).

28. Le domaine mystique est entendu, à la suite du commentaire de Daniélou sur Bataille comme « *ce qui est au-delà et ce qui est en deçà du moral* » (art. cité, p.91).

29. Pierre Jean JOUVE, *En miroir. Journal sans date.* Paris, Mercure de France, 1954.

30. Christiane Blot remarque judicieusement qu'« *il n'y a pas pour Pierre Jean Jouve un esprit pur qui lutte contre une chair glorieuse qu'on puisse opposer à un esprit perverti : L'homme est, de façon indissoluble, l'un* et *l'autre. L'âme et le corps ne sont plus deux abstractions stériles, mais deux réalités à jamais "intriguées".* » (Christiane BLOT, *Relation de la Faute, de l'Éros et de la Mort dans l'œuvre romanesque de Pierre Jean Jouve* [Aix-en-Provence, La Pensée Universitaire, 1962], p.27).

31. C'est à juste titre que Jean de Fabrègues a consacré un chapitre à la « *tendresse de Bernanos pour les amours humaines* » où il dit notamment : « *Pourtant à peindre ces autres amours, Bernanos a une tendresse secrète et qui apparaissait aussi bien dans sa conversation. Nul n'eût jamais indulgence aussi profonde que lui, aussi complice pour les amours humaines. Cet amour du monde,* ce goût du bonheur dans La Grande peur *on le trouve à bien des tournants de son œuvre, et d'abord dans* Le Soleil de Satan [...] *c'est l'ouverture au monde, l'attente, le désir originel. Comment cette merveille de l'amour peut-elle devenir* le mal ? *Et pour cette harmonie des choses qui lui font un cortège baigné d'une resplendissante lumière, Bernanos est tout entier cette tendresse et cette complicité que nous avons dites.* » (Jean de FABRÈGUES, *Bernanos tel qu'il était* [Paris, Mame, 1963], p.144). Cette interprétation s'oppose à celle d'Ernest Beaumont avancée, il est vrai, sur le mode interrogatif : « *Il est évident que Bernanos n'ignore pas la complexité des rapports sexuels, mais il ne les envisage que coupés de l'amour. La sexualité pour lui est une force qui entraîne les êtres dans des domaines démoniaques. Ce manque d'équilibre qu'on discerne dans l'univers fictif de Bernanos, qui fait en partie sa force, qui lui confère en tout cas sa particularité, ne se peut-il pas qu'il soit dû à un refus de reconnaître le rôle positif de la sexualité ?* » (Ernest BEAUMONT, « Bernanos et la nouvelle critique », p.428 in *Bernanos, op. cit.*).

32. P.J. Jouve poursuit : « *Une part nouvelle de son plaisir vient de là.* (*Baudelaire : "La volupté unique et suprême gît dans la certitude de faire le mal"*). *Le fruit serait-il aussi beau s'il n'était défendu ?* »

33. Voir G. BATAILLE, *op. cit.*, pp.24-5.

34. Aux yeux de Bertucelli le meurtre résulte d'une soif d'absolu insatisfaite auprès de l'amant : « *Paulina tue son amant parce qu'elle sent qu'il lui a échappé. Elle donne une solution définitive à un problème qui est chez elle exacerbé mais qui est celui de toutes les femmes par rapport à l'homme. La femme éprouve envers l'homme qu'elle aime le plus une insatisfaction. Elle a besoin de quelque chose d'abstrait, une espèce de pureté que l'homme ne lui donne pas. Quand Paulina, dans la villa de Fiesole, peu de temps avant le meurtre, regarde le dos velu de Michele qui dort, elle se rend compte qu'il ne peut pas lui apporter plus que le plaisir dont il vient de la combler. Et cela ne lui suffit pas. Alors elle préfère le tuer — comme le chevreau.* » (*Télérama*, 18 juin 1972).

35. Cité d'après J.-H. MALINEAU, « Une Histoire d'amour et de mort », *Le Monde*, 9 juin 1972.

36. P.J. Jouve indique clairement que Paulina « *par les pointes téméraires qu'elle aventure vers le surnaturel ouvre la région du meurtre* » (*En miroir*, p.95).

37. La vie de l'héroïne est imaginée par Jouve et Bernanos comme destin inscrit d'avance par des images presque identiques : Paulina « *a rêvé qu'elle revoyait les lettres sur le mur, avec l'ordre écrit* » (*P*,238) ; pour Mouchette à son tour « *le signe fatal était déjà écrit sur le mur* » (*Œ*,I,109). P.J. Jouve dit par ailleurs expressément dans un commentaire sur *Paulina 1880* que l'essentiel qui se cache derrière les fastes du monde ambiant, c'est « *une fatalité terrible* » (*Le Monde*, 9 juin 1972).

38. Voir Max MILNER, « Expérience du mensonge et théologie du péché », *ÉB*12,195—215.

39. La volupté sensuelle est en quelque sorte la métaphore de « *l'affreuse joie du mal enfin saisi, possédé* » (*Œ*,I,89), de la « *délectation du mal* » (95) qui se situe sur un autre niveau (métaphysique) que l'Éros essentiellement ambigu — innocent ou coupable.

40. J. DANIÉLOU, art. cité, p.92.

41. Le *nada* des mystiques et le néant démoniaque ne sont que structurellement identiques ; leur signification est diamétralement opposée. Le premier est « *un vide totalement plein* », comme l'a si bien remarqué Guy Gaucher. « *Cela peut être le* nada *de saint Jean de la Croix, qui n'est évidemment pas l'anéantissement, qui fait que Dieu prend ma place et je suis alors bien plus moi-même que je ne pouvais l'être, parce que je retrouve au centuple une présence.* » Le second vide est celui « *que crée Satan* », remarqua Daniel Pezeril au cours de la même discussion, « *celui du désespoir, au-delà de ce qui est permis, au-delà de ce qu'on peut supporter* » (pp.348,349 in *Bernanos, op. cit.*).

42. J. DANIÉLOU, art. cité, p.91. On se rappellera sainte Thérèse d'Avila que P.J. Jouve cite à l'entrée de son roman : « *L'amour est fort comme la mort et dur comme l'enfer* [...]. *Heureux celui qui recevrait de ses mains le coup de mort et serait précipité dans ce divin enfer, d'où il n'aurait plus l'espoir de sortir, et pour mieux dire, d'où il ne craindrait plus d'être rejeté.* » (THÉRÈSE D'AVILA, *Œuvres complètes* [Paris, Seuil, 1949], p.1483).

43. Nous empruntons les termes « intramondain » et « extramondain » à la terminologie de Lucien Goldmann : l'intramondain pose le monde comme valeur absolue, qui se suffit à elle-même ; l'extramondain implique l'existence de réalités hors du monde qui dépassent celui-ci (voir *Le Dieu caché, op. cit.*, pp.50—70).

L'héroïsme seul ne saurait définir une perspective chrétienne. C'est à bon droit que Saint-Évremond a souligné le caractère non chrétien de *Polyeucte*. Car le héros cornélien « *manque d'humilité chrétienne, il se suffit à lui-même* » (Cité d'après L. GOLDMANN, *Le Dieu caché, op. cit.*, p.53).

44. Cité par J.-H. MALINEAU, art. cité. On notera la remarque de Gaston Bachelard pour qui la recherche de l'absolu de l'héroïne appelle son salut : « *J'ai l'espérance tenace* », écrivit-il à Jouve, « *Paulina vaut qu'on la sauve. Vous*

lui avez donné un si grand cœur, un cœur qui cherche un absolu » (Lettre du 30 juin 1959, citée dans *Le Monde*, 9 juin 1972). La conception du péché comme voie d'accès au salut, inconcevable dans les limites du moralisme, n'est pas contraire à l'ontologie chrétienne : « *Ce qui constitue le péché comme tel, ce qui le distingue de l'acte manqué* », écrit Daniélou, « *c'est qu'il offense Dieu, qu'il est sacrilège. C'est là ce qui lui donne son caractère irréparable, irrévocable. Or les hommes sont sous le péché et totalement impuissants par eux-mêmes à s'en libérer* [...]. *La prise de conscience du péché est donc l'acte décisif qui rend possible la rencontre avec le sacré.* » (J. DANIÉLOU, art. cité, p.93). Comment ne citerait-on pas dans ce contexte l'admirable mot de Péguy que Graham Greene a mis en épigraphe à son roman *The Heart of the Matter* : « *Le pécheur est au cœur même de chrétienté... Nul n'est aussi compétent que le pécheur en matière de chrétienté. Nul, si ce n'est le saint.* »

45. Ce n'est qu'à la fin de sa vie que Paulina aura atteint le *nada* — aspiration manifeste dès son passage au couvent mais contrecarrée par l'orgueil. P.J. Jouve dit que le thème *nada*, emprunté à l'Espagne mystique, l'a profondément hanté. Le thème *nada*, ou l'Absence, présente dans toute son œuvre, aurait trouvé une « *première expression totale* » dans son poème « *Matière céleste* » :

> « *Rien ne s'accomplira si non dans une absence*
> *Dans une nuit un congédiement de clarté*
> *Une beauté confuse en laquelle rien n'est.* »

(Cité d'après *En miroir*, pp.113-4).

46. Dans son plus grand dénuement l'homme devient chez Bernanos l'instrument de la grâce ; ainsi « *l'espérance qui se mourait dans le cœur* » (Œ,I,1170) du curé de campagne « *a refleuri* » dans celui de la comtesse. La « *terrible expiation du curé de Lumbres* » (II,1100) prend son sens comme intercession pour le salut de Mouchette. Cette conception qui sous-entend le mystère de la Communion des Saints n'est pas absente dans *Paulina 1880*, notamment lorsque Michele demande à Paulina de le guider « *vers un monde surnaturel* » (P,232) : « *Elle lui communiquait la grâce, dont elle ne jouissait plus.* » Pierre Emmanuel a suggéré que, par l'expérience des catastrophes, la « *conception du temps comme lieu de la solidarité humaine comme* lien de la communication des coupables et des saints », implicite dans les premiers écrits de Jouve, s'est encore davantage éclairée. Il est, par ailleurs, significatif que la vision du monde qui informe les destinées individuelles évoquées dans les romans de Bernanos et de Jouve débouche dans une vision de l'histoire presque identique. Jouve saluera comme Bernanos, au moment des plus dures épreuves de la France, « *la permanence de l'idée française, la vocation nationale qui constitue l'une des formes privilégiées du sens de l'universel, du sens de l'homme* ». Jouve et Bernanos conçoivent la France, à la suite de Michelet, comme une personne et transposent sur elle « *les thèmes de la culpabilité et du salut* » (cité d'après Pierre EMMANUEL, « Pierre Jean Jouve ou la poésie à plusieurs hauteurs », *Fontaine*, VIe année, t.VIII, n° 45, oct. 1945, pp.736,738).

47. A. LEMONNYER, « M. Bernanos, romancier de la vie mystique », *La Vie intellectuelle*, 10 févr. 1930, pp.383-4.

48. Dans son interview accordée, en 1926, à F. Lefèvre, Bernanos prend ouvertement ses distances par rapport à l'anthropologie rationaliste du Grand Siècle. Sans la notion du péché, déclare-t-il, « *l'homme moral reste un monstre au sens exact.* [...] *L'honnête homme* [...] *est un mécanisme bien monté, un animal cartésien* » (Œ,II,1041). Posant l'autonomie de l'indivu cet humanisme se situe « *hors du plan de la rédemption* » ; il se réclame à tort de l'homme antique qui ne fonde pas ses valeurs « *dans l'orgueil de sa raison, mais dans la pieuse acceptation de la destinée, d'un* fatum *supérieur aux dieux* ».

49. Lucien GOLDMANN, *Structures mentales et création culturelle* (Paris, Anthropos, 1970), p.141.

BERNANOS ET BRESSON

étude de

Journal d'un curé de campagne et *Mouchette*

par Michel Estève

AUJOURD'HUI comme hier, le problème de l'adaptation d'une œuvre littéraire à l'écran se pose dans les mêmes termes. Comment transposer par équivalences l'atmosphère, la thématique, la vie intérieure des personnages, la vision du monde du romancier ? Comment passer d'une esthétique romanesque à une esthétique cinématographique, d'un langage à l'autre [1] ? Doit-on préférer une fidélité à la lettre ou à l'esprit, à l'âme, au secret, au mystère de la nouvelle ou du roman ? La fidélité à la lettre d'un récit n'implique pas que l'on en restitue le mystère, alors qu'une infidélité littérale peut parfaitement transcrire à l'écran les richesses d'une grande œuvre littéraire (à cet égard, les transpositions d'Orson Welles pour *Macbeth* et *Othello* [2], d'Akira Kurosawa pour *L'Idiot* et *Macbeth* [3] se révèlent remarquables). Mais lorsqu'un cinéaste réussit, pour l'essentiel, à traduire dans son film à la fois l'esprit et la lettre d'un roman, lorsqu'il restitue la vision du monde de l'écrivain au moyen d'une esthétique spécifiquement cinématographique, il convient d'en souligner l'importance. C'est le cas de Robert Bresson dont *Journal d'un curé de campagne* s'impose encore maintenant comme une réussite exemplaire.

Pourtant, il y a vingt ans, entre Bernanos et Bresson, entre leurs univers esthétiques, peu de points apparaissaient communs. L'opposition semblait tranchée entre deux personnalités, deux tempéraments, deux styles d'écriture. D'un côté, un univers romanesque, explorant le surnaturel à la façon de Dostoïevski, où surgissent la profusion et la richesse des images, le lyrisme de la vie spirituelle, l'épanchement des sentiments, le sarcasme de la polémique. De l'autre, un univers cinématographique (*Les Anges du péché* et *Les Dames du Bois de Boulogne*) où dominent les concepts « classiques » de pudeur, souci de rigueur, sens de l'ellipse, volonté de suggestion. Mais l'intuition du véritable créateur — peintre, musicien, écrivain ou cinéaste — brise les déterminismes du contingent, fait voler en éclat les frontières des contrastes superficiels et parvient comme naturellement à saisir le secret d'une œuvre.

D'ailleurs, avec ses deux premiers films, Bresson avait prouvé qu'il s'intéressait à l'univers du surnaturel (*Les Anges du péché*, 1943) et savait transposer avec originalité un récit littéraire (*Les Dames du Bois de Boulogne*, 1944-1945)[4]. En 1947, pour une firme italienne aujourd'hui disparue (Universalia, Rome), il avait préparé un film sur Ignace de Loyola. De ce film, le scénariste et le dialoguiste était Julien Green, qui nota dans son *Journal* à propos de Bresson : « *Il me semble ennemi de certains effets pittoresques, ne veut ni crucifix, ni miracles. Mais il y aura au moins le miracle de la lumière surnaturelle dans la chambre d'Ignace. [...] Je trouve très intéressant qu'il veuille tout reconstruire par l'intérieur. C'est même ce que j'essaie de faire moi-même, mais je veux m'appuyer sur des faits.* »[5]. Le film ne vit jamais le jour, mais les réflexions de Julien Green soulignent exactement deux des constantes de l'esthétique bressonienne que l'on devait retrouver dans *Journal d'un curé de campagne* (1950-1951) et *Mouchette* (1966-1967). À seize ans d'intervalle, Bresson a transposé à l'écran deux romans de Bernanos. *Journal d'un curé de campagne* et *Nouvelle histoire de Mouchette* appartiennent au même cycle d'inspiration, à la période dite « des Baléares » (octobre 1934—mars 1937)[6] et ont été composés en un peu moins de deux ans, de novembre-décembre 1934 à septembre 1936[7]. Au contraire, les deux adaptations de Bresson s'insèrent dans deux cycles différents[8], *Journal d'un curé de campagne*, film charnière, ouvrant le second cycle de l'œuvre du cinéaste, *Mouchette* appartenant au quatrième. À l'origine, les deux films ont été des œuvres « de commande »[9], mais Bresson ne les aurait pas tournés si le sujet qui lui était proposé n'avait pas répondu à ses propres préoccupations. À l'intérieur de son œuvre, *Journal d'un curé de campagne* a joué un rôle décisif :

C'est en le tournant que je commençai à mieux comprendre ce que je faisais. Le champ du cinématographe est incommensurable et plein de ténèbres. [...] Je consolidai mon système (qu'il serait plus juste d'appeler antisystème) : pas d'acteurs, pas de jeu, pas de mise en scène, dissemblance des interprètes avec les personnages inventés, surprises au lieu de prises, etc.[9]

Par opposition aux *Anges du péché* et aux *Dames*, dont les dialogues de Jean Giraudoux et de Jean Cocteau étaient parfois marqués par un cachet trop littéraire et dont les interprètes étaient des acteurs professionnels, *Journal d'un curé de campagne* ne comprend plus que quatre acteurs[10] et les deux principaux rôles sont tenus par des « inconnus » : Claude Laydu (le curé d'Ambricourt) et un psychiatre de renom, Armand Guibert (le curé de Torcy). Empruntés à Bernanos, les dialogues et les monologues ont un caractère de simplicité, de sobriété et de justesse qui leur donne une grande force de persuasion. Par rapport au *Journal*, *Les Anges du péché* et les *Dames* apparaissent encore proches d'un certain théâtre et des conventions romanesques. Par rapport à *Au hasard Balthazar* et à *Mouchette*, le *Journal* semble lui-même marqué par une conception de l'adaptation encore littéraire. Chaque film de Bresson pose, en effet, un jalon sur le chemin de la quête d'un langage cinématographique tendant de plus en plus à se dégager de traditions esthétiques extérieures au septième art.

Mais, dans cette quête d'une esthétique originale et personnelle, le cinéaste transcrit-il toujours fidèlement le secret de l'œuvre littéraire où il puise son inspiration ? Quelle que soit la beauté profonde des deux films, *Journal d'un curé de campagne* et *Mouchette* apportent à notre avis deux réponses légèrement différentes. C'est ce que tenteront de prouver les deux parties de notre étude.

I

JOURNAL D'UN CURÉ DE CAMPAGNE

Avant que le producteur Pierre Gérin demande à Robert Bresson de préparer l'adaptation de *Journal d'un curé de campagne*, deux projets de scénario, élaborés à partir du célèbre roman, avaient été rejetés [11] en 1947. Le premier, conçu par Jean Aurenche, fut récusé par Bernanos lui-même. Le scénariste ayant donné à l'hebdomadaire *Samedi-soir* une relation inexacte de l'entretien qu'il avait eu en Tunisie avec l'écrivain, celui-ci répondit par une longue lettre, publiée dans *Samedi-soir* le 8 novembre 1947, dont il importe de donner ici de larges extraits (*Bull.*, n° 7-8) :

Il est clair pour moi que le cinéaste doit rêver de nouveau le rêve du romancier. Le droit de celui-ci sur ce rêve ne saurait en concerner que l'esprit. C'est l'esprit de mon livre que j'ai craint de voir cruellement faussé. [...]
[...] je voudrais porter le plus brièvement possible à la connaissance de mes amis, parfois plus intéressés que moi au destin de mes livres, le commencement et la fin de ce scénario dont se trouvent d'ailleurs éliminés le curé de Torcy, le docteur Delbende, le docteur Laville, le jeune lieutenant de la Légion étrangère, bref la plupart des personnages grâce auxquels j'avais tenté de donner à mon roman une autre signification que celle des *Faux-monnayeurs* par exemple, et où le personnage épisodique de Sulpice Mitonnet prend une importance imprévue, du fait sans doute qu'il peut être soupçonné de pédérastie.

Au début du scénario, à l'occasion de l'anniversaire de leur fille Chantal, les châtelains de mon village imaginaire viennent s'agenouiller à la sainte table. Aussitôt après, Chantal « prend sur le prie-Dieu son missel, l'entr'ouvre et crache entre les pages l'hostie qu'elle avait gardée dans la bouche ». Un peu plus tard encore, ayant rendu l'hostie au curé qui se hâte de la consommer, la jeune fille remarque froidement : « Vous avalez ce que j'ai avalé ! Ça ne vous dégoûte pas ? »

Passons maintenant du début à la conclusion. Cette conclusion est fournie par le mot d'un certain Arsène [...]. Devant la tombe de mon héros, ce malheureux déclare avec la solennité des imbéciles : « Quand on est mort, tout est mort, tout est mort... ». Le film du *Journal d'un curé de campagne* s'achève sur ses paroles désespérées.

La lecture de cette lettre montre à l'évidence les contre-sens de Jean Aurenche : la disparition de personnages essentiels à la transcription de la vision du monde bernanosienne (Torcy, Delbende, Olivier), la substitution du blasphème spectaculaire à la révolte intérieure (l'hostie crachée par Chantal) et du « tout est mort » au « tout est grâce » trahissaient manifestement l'esprit du roman de Bernanos.

Le second scénario fut confié au R.P. Bruckberger et caractérisé par un second échec, si l'on en croit Albert Béguin, « *le nouvel adaptateur ayant cru devoir transporter toute l'histoire de la paroisse d'Ambricourt au temps de la collaboration et de la Résistance, sous prétexte de mieux expliquer les relations entre les personnages, demeurées obscures à son gré dans le roman* » [12]. En regard de ces deux projets, on mesure mieux encore la fidélité et la réussite de Bresson [13].

Comme il l'a lui-même déclaré, Bresson n'a pas connu Bernanos vivant et n'a jamais eu avec l'écrivain de « *rapports, même indirects, touchant le* Journal d'un curé de campagne ». Comme il nous l'a confié au cours d'une série d'entretiens [14], il avait parcouru le roman au moment de sa parution, en 1936. Lorsqu'il le lut attentivement en 1948, au moment où Pierre Gérin lui proposa l'adaptation, sa première réaction fut d'être « terrifié » à la pensée de devoir conduire à son terme cette transposition. Il avait, en effet, l'impression que Bernanos prenait ses héros très bas (les accablant de souffrances qui sont autant d'épreuves) avant de les élever très haut alors que sa tendance spontanée est de prendre des créatures déjà parvenues à un certain niveau de vie spirituelle (ou tout simplement humaine) pour les élever là où il convient de les conduire.

Mais, dans un second temps, Bresson passa à nouveau *Journal d'un curé de campagne* à travers ce qu'il appelle le « crible personnel », et le roman de Bernanos lui parut alors propre à la transposition cinématographique, telle qu'il la conçoit. Pour quatre raisons essentielles. Il sentit vivre dans ce roman une expérience authentique, sans laquelle une œuvre n'est pas valable : de même que Mme de La Fayette est tout entière dans *La Princesse de Clèves*, de même que le commandant Devigny a vécu l'odyssée du *Condamné à mort s'est échappé* [15], Bernanos est son héros traqué par Dieu. Il admira la vérité d'un caractère étudié, non sous l'angle de la psychologie, mais sous l'éclairage de la vie spirituelle, de la véritable vie intérieure. Il découvrit une matière romanesque dense, sillonnée d'éclairs de génie, même au travers « d'enflures » de langage. Il eut surtout l'intuition que l'aventure du petit curé en quête du salut s'intégrait parfaitement à ses recherches personnelles, coïncidait avec ses propres thèmes de réflexions (pour lui, un auteur de films ne doit jamais traiter un sujet qui lui serait étranger).

Au cours de l'année 1948, Bresson consacra environ six mois à préparer, puis à rédiger le scénario et le découpage technique du film projeté. Son projet ne devait pas aboutir immédiatement : « *Ma fidélité à l'esprit du livre me valut le refus du scénario, jugé "sans intérêt dramatique". Je changeai de producteur. Un an plus tard je fis le film avec l'Union générale cinématographique.* » [16]. *Journal d'un curé de campagne* fut tourné de février à avril 1950, dans le nord de la France, à Équirre. Le montage prit de trois à quatre mois et le film sortit en exclusivité en février 1951.

À chaque phase de la réalisation de son film — scénario, découpage technique, tournage, montage — Bresson eut le souci constant de rester fidèle à Bernanos. Le scénario et le découpage cherchèrent à transposer la structure du roman en respectant les proportions mêmes de l'œuvre et s'efforcèrent de tout centrer sur l'évolution de la vie intérieure et des sentiments du prêtre :

> J'ai depuis longtemps acquis cette conviciton que dans certains ouvrages (ceux où l'écrivain s'est voulu mettre tout entier, et le livre de Bernanos que j'ai adapté entre dans cette catégorie) ce qui montre le mieux l'auteur et le montre au fond, plus encore que ses pensées ou expériences intimes de toute sorte, c'est la manière particulière [...] de les réunir et de les coordonner [...]. Donc, pour moi adaptateur, fidélité à l'esprit par (ou à travers) le respect de la construction [...]. [17]

Respectant les proportions du roman, Bresson ne pouvait en restituer toute la richesse puisque la durée de son film n'aurait pu coïncider avec le temps de lecture du livre. C'est pourquoi il élimina au découpage les dimensions politiques et sociales du roman, les digressions de Bernanos, les à-côtés romanesques des intrigues, certaines scènes relativement importantes (l'entrevue avec Mlle Louise, la conversation avec Séraphita situées entre la chute du prêtre dans le bois d'Auchy et le départ pour Lille) et réduisit l'importance donnée à des personnages secondaires tels que le prêtre défroqué et le docteur Lavigne * (dont on ne voit que la silhouette dans le film). Comme l'écrit Jean Sémolué, le « *foisonnement du roman fait place* [...] *à un strict enchaînement logique* »[18], dont la rigueur a été encore renforcée par le montage au cours duquel Bresson a pratiqué un grand nombre de coupes[19] : suppression de personnages épisodiques (Mme Pégriot, curé d'Eutichamps, doyen de Blangermont, Sulpice Mitonnet), de rencontres peu importantes avec les paroissiens, de la séquence du prône, de la réunion du doyenné, d'une visite au doyen ; réduction de la durée de la première conversation avec Torcy, de l'entretien avec Delbende.

Répondant aux choix du découpage et du montage, cette fidélité à la composition du roman représente le premier mérite de Bresson. Une confrontation des structures du livre et du film en apporte, semble-t-il, la preuve. Dans l'œuvre de Bernanos, on discerne d'emblée trois parties essentielles, d'inégale longueur, la première et la troisième — relativement brèves — encadrant la deuxième, dont le volume est de loin le plus important : I. « Essai de définition d'une paroisse chrétienne » (pp. 1031—49) ; II. « Tentative d'incarnation des valeurs de l'Évangile dans un cadre rural traditionnel » (pp. 1049—227) ; III. « Éclatement de la paroisse, ouverture sur la misère contemporaine et mort du prêtre au cœur d'une grande ville » (pp. 1227—59). L'architecture du roman épouse l'évolution du héros, le dépouillement du prêtre qui devient, peu à peu, volontairement « prisonnier de la sainte Agonie ».

À l'intérieur de chaque partie (surtout des deux premières) la structure détaillée se révèle beaucoup plus

---

* Ou docteur Laville comme le prêtre le découvrira à l'issue de sa consultation à Lille.

complexe [20]. Refusant la division traditionnelle en chapitres, Bernanos présente les faits et les phases de l'évolution du héros sans lien logique cohérent, brasse différentes intrigues parallèles [21], unit méditations, dialogues, examens de conscience, confidences sans aucune rigueur. Le « journal intime » du curé d'Ambricourt est composé de paragraphes de différentes longueurs séparés par des lignes de pointillés (simples ou doubles) ou des espaces blancs : c'est lui qui assure l'unité du récit en réfléchissant l'aventure intérieure du prêtre. Dans son esthétique même, le roman s'affirme roman du surnaturel en confrontant une âme avec son « environnement » et les multiples dimensions d'une vocation christique [22]. Bien loin d'apparaître plaqué sur une intrigue ou un récit linéaire, le surnaturel sourd de la confession qui s'exprime, au jour le jour, au fil des lignes ou des ratures, jaillit des notations descriptives statiques ou dynamiques (visages, regards, mains) comme du style d'images qui s'élève fréquemment au-delà du sensible tout en y faisant appel.

« *La réussite étonnante* » du film de Bresson, écrivait Jean Lacroix, est de « *répondre parfaitement à l'œuvre de Bernanos, non par une servilité littérale, mais par une recréation qui élimine rigoureusement le psychologique aussi bien que le social pour tout centrer sur le drame spirituel* » [23]. Tel fut, en effet, le dessein profond de Bresson : transcrire l'aventure surnaturelle du prêtre en mettant alternativement l'accent sur la souffrance, la solitude et la joie, selon la démarche même du romancier. *Journal d'un curé de campagne* se divise en 37 séquences [24] qui, en dehors de la séquence initiale, peuvent être regroupées en cinq parties :

1. *Séq. 2/11* : le cadre, les acteurs, premier retour cyclique des thèmes (maladie, solitude, vocation sacerdotale, souffrance) ;
2. *Séq. 12/16* : second retour cyclique des thèmes ;
3. *Séq. 17/20* : double tentation du doute et du désespoir ;
4. *Séq. 21/28* : approfondissement de la solitude ;
5. *Séq. 29/37* : le sens de l'épreuve : la « sainte Agonie ».

Par analogie avec le film de Bresson, on peut diviser le roman de Bernanos en « séquences » (que nous numérotons de [1] à [68]), séparées dans le récit par des astérisques (réintroduits dans notre édition 1974 des *Œuvres romanesques*), des lignes de pointillés ou des blancs. Chaque séquence ayant son « homologue » dans le film est suivie du numéro de la séquence (15, par exemple). Les séquences tournées par Bresson mais non retenues définitivement au montage sont marquées d'une croix : ✕.

	« Séquences » DU ROMAN (in *Œ*)	Séquences DU FILM
N°		Pagination N°
[1]	Premières pages du journal	(1031—4) .
[2]	Le prêtre et l'épicier Pamyre	(1035) .
[3]	Interrogation sur le sens à donner au journal et premier entretien avec le curé de Torcy (au presbytère de Torcy)	(1035—47) 3-4
[4]	Visite de l'adjoint au maire	(1047-8) 5
[5]	Le prêtre et M. Pégriot	(1048) .
[6]	Nouvelle interrogation sur le sens à donner au journal	(1048-9) .
[7]	Conversation avec Mlle Louise et séance de catéchisme (présentation de Séraphita Dumouchel)	(1049—52) 8-7
[8]	Le sermon du dimanche (le « regard de la paroisse »)	(1052) ✕

[9] Invitation au château transmise par
Mlle Louise et monotonie des tâches
quotidiennes (rencontre de Séraphita)   (1052—4)   .
[10] Conférence chez le curé d'Hébuterne   (1054—6)   .
[11] Mlle Louise à la messe   (1057)   .
[12] « samedi prochain », « je vais déjeuner
au château »   (1057)   .
[13] Lettre de l'abbé Dufréty   (1057-8)   .
[14] « Cette prochaine visite au château m'oc-
cupe beaucoup »   (1058-9)   9
[15] Première visite au château   (1059-60)   9
[16] Méditation du prêtre au sommet de la
côte de Gesvres   (1060-1)   .
[17] Seconde lettre de Dufréty, qui lance un
appel à son ami   (1061—63)   .
[18] Visite du Comte, qui apporte deux la-
pins   (1063—5)   10
[19] Méditation sur « l'Ancien Monde »   (1065-6)   .
[20] Second entretien avec le curé de Torcy :
réflexions sur la société moderne, la pauvreté, la justice, l'enfance, la parole de
Dieu   (1066—80)   14
[21] Visite au doyen de Blangermont : « Pas
de dettes, surtout, je ne les admets
pas ! »   (1080—7)   ×
[22] Conversation avec Mlle Louise au sujet
de Chantal   (1087—90)   .
[23] Confession des enfants   (1090)   .
[24] « Je suis sérieusement malade » : visite
au docteur Delbende   (1090—6)   12
[25] Programme d'action paroissiale. Sulpice
Mitonnet   (1096—8)   ×
[26] Mme Pégriot renonce à aider le prêtre (1098-9)   ×
[27] Confession de Mlle Louise   (1099)   .
[28] « Nuit affreuse. Dès que je fermais les
yeux, la tristesse s'emparait de moi. »   (1099-1100) 6
[29] Première réunion du « Cercle d'Études » (1100)   .
[30] Troisième entretien avec Torcy (au presbytère d'Ambricourt)   (1101—3)   .

[31] « *Mauvaise nuit. À trois heures du matin,*
j'ai pris ma lanterne et je suis allé jus-
qu'à l'église. »   (1103)   15
[32] Réflexion sur la pauvreté   (1103-4)   .
[33] « *Vers trois heures du matin* [...], *la*
porte du jardin s'est mise à battre [...].»   (1104-5)   .
[34] Rencontre de Séraphita, qui jette sa
gibecière aux pieds du prêtre   (1105—9)   13
[35] Seconde visite au château, malaise du
prêtre   (1109-10)   11
[36] Découverte de la lettre anonyme   (1110-1)   16
[37] « *Encore une nuit affreuse* [...]. *Il pleu-*
vait si fort que je n'ai pas osé aller
jusqu'à l'église. »   (1111—4)   17
[38] Mort du docteur Delbende (et réflexion
sur le péché)   (1114—7)   18
[39] Découverte du missel de Mlle Louise   (1117)   .
[40] Obsèques du docteur Delbende   (1117—23)   19
[41] Sulpice Mitonnet. « *Non, je n'ai pas perdu*
la foi ! » Réflexion sur l'impureté   (1123—9)   × 20
[42] Perte de l'esprit de prière   (1129-30)   .
[43] Souffrance et solitude du prêtre   (1130)   .
[44] Entrevue de Chantal et du prêtre, qui
se rend en pure perte à Torcy   (1130-1)   21
[45] Confession de Chantal   (1131—9)   22
[46] Le prêtre jette au feu la lettre   (1139—45)   23
[47] Dialogue décisif avec la Comtesse, qui
retrouve la paix. Lettre de la Comtesse :
« *je suis heureuse* »   (1145—66)   24
[48] Mort de la Comtesse. Le prêtre se rend
au château   (1166—70)   25
[49] Nouvelle visite au château   (1170-1)   .
[50] Entretien avec le chanoine de la Motte-
Beuvron   (1171—5)   26
[51] Entretien avec le Comte au château   (1175—7)
[52] Entretien avec Chantal et le Comte, au
château   (1177—83)   27
[53] Tentation du suicide   (1183—5)   28

[54] Entretien avec Torcy dans la cabane :
     « *prisonnier de la Sainte Agonie* »   29
     Retour au presbytère, où Torcy le
     rejoint   (1185—9 et 1189—95)   30
[55] Visite aux paroissiens. Chute dans le
     bois d'Auchy. « *Chemin de croix* » du
     prêtre, aidé par Séraphita   (1195—1201)   31
[56] « [...] *je me suis réveillé très dispos, avec*
     les coqs. » Entretien avec Mlle Louise   (1201—5)   32
[57] Obsession de la timidité   (1205)   .
[58] Dialogue (à l'église) avec Séraphita   (1205—8)   .
[59] Hémorragie nocturne   (1208)   .
[60] « *Les forces me reviennent* ». Réponse
     du docteur Lavigne   (1208-9)   .
[61] « *Encore une petite hémorragie, un cra-*
     chement de sang » « *Peur de la mort.* » (1209)   32
[62] Rencontre avec Olivier ; découverte de
     l'amitié   (1209—21)   34
[63] Pendant la nuit, la joie réveille le
     prêtre   (1221—3)   .
[64] Visite de Chantal, au presbytère   (1223—7)   33
[65] Lille, estaminet de Duplouy   (1227—31)   35
[66] Retour en arrière : évocation de la
     visite chez le docteur   (1231—42)   35
[67] Chez Dufréty : mort du prêtre   (1242—58)   36
[68] Lettre de Dufréty au curé de Torcy   (1258-9)   37

La confrontation des séquences du film et de celles du roman, la place respective des unes et des autres dans l'architecture du récit montrent à la fois la fidélité et l'originalité des choix de Bresson. Respectant les proportions du roman, le film substitue à la richesse, à l'éparpillement et au foisonnement du récit bernanosien une structure marquée par la rigueur, la cohérence logique, l'esprit de litote. Le rythme du film naît de celui du livre, mais à travers l'ellipse et le dépouillement. Entre les trois temps du découpage initial, du tournage et du montage, Bresson a d'ailleurs accentué son parti pris de rigueur. Les modifications apportées à la première et à la dernière séquence en apportent une preuve significative. Le film devait s'ouvrir sur une réunion de prêtres chez le doyen de Blangermont et se refermer sur la lecture de la lettre de Dufréty que faisait au doyen le curé de Torcy : les plans des personnages ont été remplacés par les gros plans du journal et du visage du prêtre (au début), par la croix (au finale).

Par rapport au roman, l'évolution de l'action extérieure et intérieure s'affirme plus dense et plus cohérente. À cet égard, quelques exemples peuvent être donnés :

a) les séquences 1 et 2 du film (sans équivalences directes dans le roman) relèvent d'une volonté d'exposition toute classique ;

b) à deux reprises, deux séquences (3-4 et 7-8) de Bresson transposent une seule séquence romanesque ([3] et [7]) ; inversement, la séquence 9 transcrit deux séquences du roman ([14] et [15]) ; la séquence 32 également les séquences [56] et [61] ;

c) l'ordre des séquences du film est légèrement différent (d'où les inversions et les décalages) de celui du livre jusqu'à la séquence 16 exclue :

— la première « nuit affreuse » [28] est placée beaucoup plus tôt dans le film (séquence 6), évoquant très vite la « nuit de l'âme » ;

— le premier entretien (et le malaise du prêtre) avec la Comtesse est introduit plus tôt également (séquence 11) ;

— la consultation chez Delbende (séquence 12) semble ainsi mieux justifiée ;

— placée plus tôt dans le récit (séquence 13), la remise de la gibecière aux parents de Séraphita montre l'activité paroissiale du prêtre, justifiant ainsi la confidence du journal (« *Mais ai-je le temps de prier ?* ») et le reproche de Torcy (« *Tu t'agites trop.* ») ;

— inversant les séquences [62] (Olivier) et [64] (Chantal) ;
— la séquence 33 précédant la séquence 34 —, Bresson fait
conduire son héros par Olivier non au presbytère, mais à
la gare (train pour Lille)[25].

Formées d'un nombre différent de séquences (de 4 à 10)
et de plans (de 25 à 170) les cinq parties du film, parfaitement
équilibrées entre elles[26], s'enchaînent remarquablement et
ne font en rien obstacle à la fluidité du récit cinématographique, marqué par une dialectique de la temporalité et de
l'intériorité. Passant constamment des faits insérés dans un
temps extérieur, objectif à l'effet qu'ils produisent dans le
courant de conscience du prêtre, le récit bressonien suggère
très sobrement l'évolution du temps intérieur qui s'écoule
à travers une conscience.

Le film comme le livre, par sa. structure même, met
en relief l'aventure surnaturelle du héros. Rythmée par le
double commentaire de la voix *off* du prêtre et des lignes
écrites sur le cahier d'écolier, dominée par les thèmes de
la solitude, de la vocation sacerdotable, de l'angoisse unie
à la joie, de la souffrance et de la communion des saints,
la composition du film évoque le mouvement d'une Passion
inscrit au cœur même du roman de Bernanos.

*

Que le petit curé d'Ambricourt se regarde vivre [*écrivait Albert
Béguin*], revoie chacun de ses actes, le fasse entrer par la méditation dans une durée intérieure, définissait déjà l'âme de ce
prêtre et la nature de son angoisse. Ce qui, vu du dehors, était
événement, au sens banal du mot, le devenait en un sens
différent grâce au journal qui le transportait dans le déroulement d'une destinée spirituelle.[12]

Chez Bernanos, la transcription du surnaturel était inséparable du journal intime. Le second mérite essentiel de Bresson fut de reprendre ce procédé romanesque en l'intégrant dans un récit spécifiquement cinématographique.

Au début du roman, le prêtre s'interroge à plusieurs reprises sur les motifs qui l'ont incité à tenir un journal intime. Les confidences faites au petit cahier d'écolier ne lui permettent ni de se connaître vraiment (le journal n'apprend rien de lui à Dieu, or nous ne pouvons nous connaître qu'en Dieu) (1036), ni de pratiquer avec leur aide un véritable examen de conscience (1036). Le journal intime permet cependant à l'humble desservant d'Ambricourt de mieux fixer sa pensée, de prolonger sa prière, de mesurer la place réelle prise par les soucis matériels dans sa vie quotidienne (1048-9). Il tient un peu la place d'un ami (1049). Il joue surtout un double rôle fondamental : celui de permettre au prêtre d'accéder à la vision de sa conscience d'enfant ; celui de devenir le prisme à travers lequel l'âme assoiffée de Dieu confronte les faits avec leur prolongement surnaturel, replace les événements quotidiens dans la lumière du surnaturel.

Dès les premiers plans, le film est *journal*. Le générique apparaît sur un cahier d'écolier fermé. Puis la main du prêtre ouvre le cahier et soulève le buvard. La caméra s'approche lentement pour présenter en gros plan une page du cahier. Nous entendons le prêtre lire en voix *off* ces quelques lignes déjà transcrites sur la page : « Je ne crois rien faire de mal en notant au jour le jour, avec une franchise absolue, les très humbles, les insignifiants secrets d'une vie d'ailleurs sans mystère. » Des gros plans de pages du cahier reviendront, tel un leitmotiv, tout au long du récit. On en relève la présence dans 14 séquences (sur 37), soit qu'ils ouvrent la séquence (premier plan des séquences 3, 7,

9, 10, 12, 14, 18, 25, 28, 32), soit qu'ils la referment (dernier plan de la séquence 10), soit qu'ils soient insérés au milieu de la séquence (séquences 7, 17, 28, 32, 35, 36).

Imprégnée par le surnaturel, la vie intérieure du héros se déchiffre en filigrane des images à la lecture d'une osmose élaborée entre l'acte, son déroulement, ses origines et ses conséquences au moyen d'une tension dialectique établie entre les plans du cahier, le déroulement de la séquence et la voix *off*, ou commentaire intérieur.

Bresson, écrit Marie-Claire Ropars-Wuilleumier, après « *avoir évoqué, en action, la fin d'une scène* », confie à « *la parole intérieure, ou à une page du journal, le soin d'en évoquer la genèse et la substance* » (p. 100 [27]). C'est vrai, en particulier pour deux séquences : celle des obsèques du docteur Delbende (séquence 19) et celle de la consultation, à Lille, du docteur Lavigne (séquence 35). En ouverture de la première, la « fin de la scène », c'est-à-dire la fin des obsèques, est suggérée par l'image : plan général du cimetière de Gesvres ; la foule s'écoule ; le curé d'Ambricourt et le curé de Torcy marchent côte à côte dans la foule, visages fermés ; ils sont vus d'abord de face (en plan moyen), puis de profil, et enfin de dos (travelling arrière) ; le corbillard part vide, dépasse les deux prêtres au petit trot et s'éloigne, franchissant le portail. Tandis que grincent les roues du corbillard sur le gravier, la voix *off* (la « parole intérieure ») du héros évoque la « substance » de la scène qui vient de se dérouler : « M. le curé de Torcy avait passé deux nuits près du cadavre de son ami. Il était véritablement torturé d'angoisse. Le bruit avait couru que le docteur Delbende s'était suicidé. » Chez Bresson comme chez Bernanos, le fait compte moins que l'impulsion dont il est né, que les conséquences en découlant ; l'important, pour ces obsèques, était la double réaction intérieure des deux prêtres.

Au début de la séquence qui se déroule à Lille, en plans rapides, l'image nous montre le docteur Lavigne accompagnant le prêtre sur le pas de la porte de son cabinet, puis la marche du héros, comme hébété, se mêlant à la foule, passant entre tramways et voitures, entrant dans une église, puis dans un café. Un gros plan de la main du prêtre écrivant sur une page de son cahier nous permet de lire ces mots : « Cancer, cancer de l'estomac », tandis que la voix *off* prononce les phrases suivantes : « Cancer, cancer de l'estomac... Ce mot avait frappé mon oreille sans éveiller en moi aucune pensée... J'en attendais un autre, j'attendais celui de la tuberculose... J'ai dû simplement froncer les sourcils comme à l'énoncé d'un problème difficile. Il m'a fallu beaucoup de temps pour comprendre que j'allais mourir d'un mal que l'on ne rencontre que rarement chez les personnes de mon âge. »

Mais, à l'intérieur de chaque séquence, on discerne le plus fréquemment des interférences constantes entre l'image (gros plans du cahier, plans évoquant l'action) et la parole (commentaire en voix *off* du prêtre ou « parole intérieure » et dialogues fidèlement empruntés à Bernanos), les silences et les sons (partition musicale de J.-J. Grünenwald et bruits réalistes : pluie, vent, sabots, clochettes des agneaux, jappements de chien, raclements du rateau du jardinier pendant la conversation décisive du prêtre et de la Comtesse).

À de brefs instants, l'image — une page du journal — et la parole — le commentaire en voix *off* — peuvent dire exactement la même chose :

— Premier plan de la séquence 10 : à propos du Comte, la main du prêtre trace les lignes suivantes sur une page du cahier présentée en gros plan : « On le dit dur avec ses fermiers. Ce n'est pas non plus un paroissien exemplaire. D'où vient qu'il ait pris tout de suite auprès de moi la place si souvent vide d'un ami, d'un allié, d'un compagnon ? » Le commentaire en voix *off* dit la même chose ;

— Premier plan de la séquence 12 : gros plan du journal intime : « Je suis sérieusement malade. Voilà juste six mois que j'ai ressenti les premières atteintes de ce mal. » Commentaire : *idem* ;

— Au milieu de la séquence 17, après un fondu-enchaîné, l'image montre une page du cahier en gros plan, où la plume trace ces mots : « Si ce n'était qu'une illusion ? Les saints ont connu de ces défaillances. » En voix *off* : *idem* ;

— Seconde moitié de la séquence 28 : gros plan de la main du prêtre écrivant : « ... à la suite de ... Résolu à ne pas écrire ce journal, mais ayant cru devoir faire disparaître ces pages écrites dans un véritable délire, je veux porter contre moi ce témoignage que ma dure épreuve... (Je ne saurais rien imaginer de pire...) m'a trouvé un moment sans résignation, sans courage et que la tentation m'est venue de... » Commentaire : *idem*.

Le son, dans ce cas, dit la même chose que l'image, mais autrement ; loin d'en constituer un « doublon », il en renforce le pouvoir de suggestion [28] et affirme l'omniprésence du journal intime.

À d'autres moments, les paroles d'autrui s'effacent devant la « parole intérieure » du prêtre alors que l'image demeure la même : visite de l'Adjoint du maire au presbytère d'Ambricourt (séquence 5) ; première entrevue du prêtre et de la Comtesse au château (séquence 11) ; obsèques du docteur Delbende (séquence 19) ; long et pathétique dialogue avec la Comtesse (séquence 24) ; entretien avec le curé de Torcy dans la cabane (séquence 29) ; assoupissement du prêtre, dans un estaminet de Lille, après la douloureuse révélation du cancer (séquence 35). L'image présente les protagonistes et le décor. La bande-son transcrit les dialogues de façon naturelle. Puis, insensiblement, sourd la voix *off* de Claude Laydu qui, progressivement, relègue au second plan sonore les voix des interlocuteurs tandis que le visage du prêtre demeure immobile, ou crispé par la souffrance. Les paroles superficielles d'autrui sont comme effacées par le commentaire intérieur qui traduit la double perception du héros : perception d'un silence extérieur, en dépit de la voix d'autrui, ou des bruits extérieurs ; perception d'une durée intérieure, elle-même reliée au surnaturel. À ces instants précis, Bresson nous donne l'intuition d'un autre univers où se joue le destin le plus profond de l'homme, où transparaît le mystère de l'être humain.

Dans le roman de Bernanos, le journal intime — nous l'avons relevé plus haut — est composé, non de chapitres, mais de paragraphes de différentes longueurs, eux-mêmes séparés par des lignes de pointillés ou des espaces blancs ; il fait mention de lignes raturées, de pages déchirées. Cette structure « en creux » renvoie au « vide » d'une absence fondamentale : celle de Dieu. Comme le note Brian Fitch, la conscience du narrateur nous est « *connue comme en creux* » et « *structurellement ce creux s'étend entre le moment où le curé d'Ambricourt a vécu les expériences qu'il décrit et le moment où il les note sur son cahier, s'interposant ainsi entre le lecteur et la matière du roman* » [29]. « Vide » du silence de l'âme. « Creux » du silence de Dieu. « *L'âme se tait. Dieu se tait. Silence.* » (1129), — « *Même solitude, même silence. Et cette fois aucun espoir de forcer l'obstacle.* » (1113) — « *Derrière moi, il n'y avait rien. Et devant moi un mur, un mur noir.* » (1111).

Cette angoisse de l'âme et ce silence de Dieu sont très exactement transcrits par l'admirable séquence 17, qui illustre la façon dont Bresson insère le journal intime dans son récit. La séquence s'ouvre sur la voix *off* du prêtre (« Encore

une nuit affreuse... ») qui précède de peu le premier plan
(un plan général du presbytère dont la fenêtre du curé est
éclairée ; pluie et vent en bourrasque) et poursuit aussitôt :
« Il pleuvait si fort que je n'ai pas osé aller jusqu'à l'église. »
Le crépitement de la pluie et du vent accompagne, en bande
sonore, l'image du second plan : un plan d'ensemble de la
fenêtre, dont la vitre est fouettée par la pluie. Le troisième
plan — un plan d'ensemble — nous transporte à l'intérieur
de la chambre : au fond, la fenêtre ; au premier plan, le
prêtre, vu de trois-quarts dos, immobile, et une lampe qui
brûle sur une table qu'elle éclaire. Le commentaire reprend :
« Je ne pouvais plus prier. Je sais bien que le désir de la
prière est déjà une prière et que Dieu ne saurait en deman-
der plus. Mais je ne m'acquittais pas d'un devoir. La prière
m'était aussi indispensable à ce moment que l'air à mes pou-
mons, l'oxygène à mon sang. » Le prêtre fait quelques pas
dans la chambre, s'efforçant de prier, puis revient à la table
devant laquelle, brusquement, il met un genou à terre,
tandis que sa voix *off* poursuit : « ... Derrière moi ce n'était
plus la vie quotidienne, familière, à laquelle on échappe
d'un élan. Il n'y avait rien. Et devant moi, un mur, un mur
noir. » La fin de cette phrase est soulignée par le bruit
du vent.

Tandis qu'après un temps de silence le commentaire
reprend, un fondu-enchaîné suggère l'évolution du temps :
« Quelque chose tout à coup a paru se briser en moi, dans
ma poitrine, et j'ai été pris d'un tremblement qui a duré
plus d'une heure. » L'image montre alors — quatrième
plan — en gros plan le cahier, où la plume trace les lignes
suivantes : « Si ce n'était qu'une illusion ? Les saints ont
connu de ces défaillances. » On entend quelques grincements
extérieurs (provoqués par le vent) et la voix du prêtre qui
prononce les mêmes phrases : « Si ce n'était qu'une illu-

sion ? Les saints ont connu de ces défaillances. » Après un nouveau fondu-enchaîné, le cinquième plan (un plan moyen) montre le prêtre allongé à terre, au pied de son lit. Il se lève (l'appareil recule), puis crispe ses mains sur les barreaux du lit, tandis que le commentaire reprend : « Je m'étais étendu au pied de mon lit, face contre terre. Je voulais seulement faire le geste de l'acceptation totale, de l'abandon. » Le sixième plan de la séquence montre le prêtre assis à sa table (en plan moyen), qui prend la plume et reste une seconde immobile avant d'écrire. À cet instant précis, la voix *off* prononce les phrases suivantes : « Même solitude, même silence. Et, cette fois, aucun espoir de forcer l'obstacle. Il n'y a pas d'obstacle... rien. » Un temps de silence. Un troisième fondu-enchaîné. Puis les plans sept et huit de la séquence : un plan d'ensemble de l'escalier du presbytère, descendu par le prêtre (contre-plongée), qui souffle sa lampe (plan moyen) ; son visage est plongé dans le noir, au moment où le commentaire affirme : « Dieu s'est retiré de moi. De cela je suis sûr. » La séquence se referme sur un fondu-au-noir.

Cette séquence apparaît exemplaire par l'adéquation élaborée au montage entre son contenu et ses structures formelles. Sa composition est très rigoureuse : elle s'ouvre et se referme sur la nuit, épousant un mouvement intérieur qui conduit le prêtre de la nuit extérieure à la nuit de l'âme. Entre ces deux moments, Bresson passe progressivement du cadre au personnage, et de celui-ci à son angoisse : un plan général de l'extérieur du presbytère ; un plan d'ensemble de la fenêtre de celui-ci ; un plan d'ensemble de l'intérieur de la chambre, où s'efforce de prier le héros ; un gros plan du cahier. Les fondus-enchaînés suggèrent l'évolution du temps en insistant sur la durée de la crise mystique. L'image (gros plan du cahier ou visage du prêtre) et le son (le commentaire en voix *off*) ont beau dire (presque) la même chose, comme nous l'avons déjà relevé, il n'y a pas répétition, « doublon », mais dialectique qui renforce le pouvoir de suggestion. L'effet produit par le contenu du commentaire est inséparable des cadrages, des éclairages, des silences et des bruits. Le réalisme intérieur de cette expérience du surnaturel ne saurait être dissocié d'un réalisme extérieur (décor et bande sonore) qui lui permet de s'exprimer dans son authenticité.

D'une façon générale, c'est par le montage que Bresson transcrit à la fois ce qui est montré et ce qui est suggéré, le mouvement incessant du fait vécu dans le passé (proche ou immédiat) à son interprétation dans le présent, la confrontation entre l'expérience assumée dans la vie quotidienne et la réflexion sur cette expérience consignée dans le journal intime, l'osmose entre la page du cahier, la « parole intérieure » du prêtre et les dialogues. Le montage confère l'unité à la composition d'ensemble de l'œuvre, aux différentes séquences, de même qu'à l'intérieur d'une séquence il relie les différents temps de l'aventure spirituelle au moyen des fondus-enchaînés. Dans chaque séquence, les images, les paroles, les éclairages et les expressions (ou les refus d'expressions) des visages ne reçoivent leur signification profonde que par le montage qui les relie ou les oppose.

*

André Bazin remarquait à juste titre que le commentaire en voix *off* enchaîne avec aisance « *sur celui que prononceront réellement les protagonistes* » parce qu'il « *n'existe entre les deux aucune différence essentielle de style ni de ton. Ce parti pris s'oppose non seulement à l'expression dramatique de l'acteur mais même à toute expressivité psychologique. Ce qu'on nous requiert de lire sur son visage n'est point le reflet momentané de ce qu'il dit, mais une permanence d'être, le masque d'un destin »* [30]. Autant que la structure du film, la présence fondamentale du journal intime, la conception bressonienne du « jeu » de l'acteur s'insère très exactement dans la vision du monde de Bernanos, dans l'exploration du surnaturel.

Pour tourner *Journal d'un curé de campagne*, Bresson résolut de confier les deux principaux rôles à deux hommes qui n'avaient jamais fait de cinéma : Claude Laydu et Armand Guibert. À partir de ce film, il n'y aura plus aucun acteur professionnel dans l'œuvre de Bresson. Celui-ci, en effet, fort de l'expérience du *Journal*, a adopté dans ce domaine un système cohérent sur lequel nous nous sommes longuement interrogé ailleurs [31], mais dont il convient de rappeler les grandes lignes.

On sait que pour Bresson le cinéma doit refuser d'imiter la littérature ou le théâtre pour s'affirmer langage autonome, écriture spécifique. Or il estime que le jeu des acteurs professionnels se calque trop souvent naturellement sur celui des acteurs de théâtre alors que le jeu théâtral fait appel à une technique où interviennent de façon trop accusée et trop artificielle pour l'écran la voix, les gestes, la mobilité du visage. À ses yeux, l'acteur professionnel « manque de nature », car il cache sa personnalité sous le masque du personnage qu'il interprète [32]. S'efforçant de faire vivre un autre homme que lui-même, le comédien — affirme Bresson — finit tôt ou tard par ne plus pouvoir discerner le vrai du faux : « *Les films dans lesquels jouent des acteurs sont pour moi comme ces rêves angoissés où nous nous obstinons, contre toute raison, à mettre sur le*

*visage d'une personne que nous connaissons bien des traits,
un nez, une bouche que nous savons pourtant ne pas lui
appartenir.* » [33].

Puisque le cinéma est en quête de l'âme humaine, le
cinéaste cherche à traquer l'interprète afin de l'inciter à
révéler sur l'écran — au besoin à son insu — son propre
être intérieur. Et pour que l'homme transparaisse dans
son authenticité, il faut tuer en lui « l'acteur », son « jeu »,
sa « technique » : un « *regard authentique est une chose
que vous ne pouvez inventer : quand vous l'attrapez, c'est
admirable* » [34]. *Journal d'un curé de campagne* est empli
de regards authentiques et admirables de Claude Laydu.

Dans cette perspective, Albert Béguin a raison de noter
que le « *choix du type physique de l'acteur importe plus
encore que son talent propre* » [35], mais tort de ne pas ajouter
que les tendances de l'interprète doivent se rapprocher de
celles du personnage. Certes, du roman au film, et des
interprètes aux personnages, il s'est établi un certain nombre de « correspondances » au niveau des physionomies,
des gestes ou des attitudes [36]. Du curé de Torcy, Armand
Guibert a le pittoresque, la corpulence, la haute stature, le
bon sens, la force, mais surtout la vie intérieure, que traduit le regard. Jean Riveyre rappelle fidèlement le Comte
par sa voix légèrement nasale, son ton protecteur, sa cordia-
lité affectée, mais aussi sa vanité et sa mesquinerie. Nicole
Ladmiral a la dureté, la passion de la révolte de Chantal,
mais apparaît plus sournoise et rusée que l'héroïne de
Bernanos [37]. Les autres interprètes sont d'un parfait naturel.

Physiquement, cependant, Claude Laydu correspond peu
au curé d'Ambricourt. Il ne possède ni « *cette triste figure
qui ne peut plus maigrir* », ni ce « *long nez, la double ride
profonde qui descend jusqu'aux commissures des lèvres, la
barbe rare, mais dure dont un mauvais rasoir ne peut venir*

à bout» (1091-2). Un autre interprète possible aurait sans doute mieux évoqué d'emblée le héros de Bernanos. Mais Bresson a choisi Claude Laydu parce que celui-ci, en fonction de ses propres tendances, devait mieux parvenir à incarner comme naturellement le prêtre bernanosien [38]. Il ne s'est pas trompé. Tout au long du film, on déchiffre sur le visage et dans les regards de Claude Laydu, comme dans ses attitudes ou ses gestes, une fragilité d'enfant malhabile, une tendresse qui ne corrompt pas la souffrance et une lumière intérieure réellement exceptionnelle.

Bresson demande à ses interprètes non de « jouer », mais d'être eux-mêmes en se soumettant à une inflexible discipline : s'accoutumer aux gestes les plus naturels, à la non-mobilité du visage et à un ton spécifique. Le système est d'une vérité profonde dans *Journal d'un curé de campagne*. Le hiératisme des gestes et des déplacements des personnages renforce le caractère tragique de l'atmosphère. Le refus de la mobilité des visages est refus de l'expressionnisme théâtral autant que volonté de canaliser l'émotion afin de mieux la mettre en valeur. Immobile, le visage de Nicole Ladmiral nous touche en apparaissant insensiblement dans l'obscurité du confessionnal (séquence 22). Immobile, le visage de Claude Laydu est tour à tour empli d'angoisse (séquence 17) et de doute, dévoré par la douleur, à la fin des obsèques du docteur Delbende (séquence 19), défiguré par la souffrance, avant la chute dans la boue, près du bois d'Auchy (séquence 31), chargé de mystère (quand le prêtre est guidé par Séraphita, après cette chute), rendu radieux par la joie lorsque la main du héros trace sur une page du journal les lignes suivantes : « La délivrance de l'aube m'est toujours aussi douce ; que les matins soient bénis ! Je prie mieux. » (séquence 32) — ou illuminé par la lumière de la mort et du don total (séquence 36).

Le ton des interprètes crée une communauté entre eux, prolongeant encore l'unité donnée par la composition et le montage. Contrairement à ce que l'on voit affirmer trop souvent, ce ton n'est ni celui de la « voix blanche » (sans expression), ni le ton « *recto tono* » (*privée d'intonation*) [39], mais ce que l'on pourrait appeler avec Bresson un « ton aplani ». Un ton qui cherche à se rapprocher le plus possible d'une lecture naturelle, spontanée, d'un monologue intérieur : « *Je dis quelquefois à mes interprètes : quand vous parlez, parlez-vous à vous-mêmes.* » [40]. On comprend mieux sans doute maintenant le bien-fondé de la remarque d'André Bazin selon laquelle il n'existe pas de différence entre la voix *off* du prêtre et le ton des personnages dialoguant entre eux. Il ne s'agit pourtant pas d'un ton monocorde car les nuances d'intonation existent, soulignées aussi « planement » que possible. Il est enfin une dernière justification à ce ton : plus l'émotion est forte, pense Bresson, plus elle doit apparaître contenue dans la sobriété du ton, tout comme par l'immobilité du visage. Une lecture attentive du film justifie à coup sûr l'intuition de l'auteur

*

Si la structure du film, comme celle du roman, évoque un « creux », un « vide » creusé par l'apparent éloignement de Dieu, c'est grâce au montage. Celui-ci, nous l'avons souligné, assure l'unité de la composition du film, mais aussi la discontinuité de ces fragments de vie rassemblés par le journal intime. Entre les séquences, il s'affirme autant « art de la rupture » qu'art du « raccord » et se définit souvent comme un « montage elliptique » dont les caractéristiques s'accuseront ultérieurement avec *Pickpocket* et *Au hasard Balthazar*. Le « montage elliptique », écrit Marie-

Claire Ropars-Wuilleumier, « *au lieu de s'effacer devant l'histoire et ses références à un sens préétabli* », « *se rend perceptible en lui-même, parce qu'il tranche dans l'événement et n'en conserve que des fragments qui ne sont pas immédiatement lisibles* » (p. 124 [27]). L'auteur de ces lignes les appliquait à *Au hasard Balthazar*, mais son propos vaut également pour *Journal d'un curé de campagne*, où les faits ne prennent leur pleine signification que par rapport au surnaturel. De même que le journal intime relie l'événement quotidien, ses prolongements ou ses causes, à l'univers du surnaturel, celui-ci informe l'atmosphère, le décor et le récit cinématographique. Chez Bernanos comme chez Bresson, les composantes du monde extérieur et le destin profond de l'homme s'unissent indissociablement. Ciel bas et gris, sombre, lourd de nuages ; pluie, boue, nuit, impression fréquente d'humidité et d'obscurité — les paysages [41] du Nord, filmés en hiver, s'harmonisent très exactement avec la tristesse, le doute, l'angoisse d'une âme en apparence abandonnée par Dieu.

« *Rien, Dieu ! Je respire, j'aspire la nuit, la nuit entre en moi par je ne sais quelle inconcevable, quelle inimaginable brèche de l'âme. Je suis moi-même nuit.* » (1113). À la première lecture, le Dieu de Bernanos et de Bresson — notait Amédée Ayfre — est « *Celui qui ne répond pas.* » (p. 157 [42]). Mais c'est aussi le Dieu auquel le Christ s'adressait à Gethsémani, pendant la nuit de sa Passion. Le premier, André Bazin affirmait à juste titre que la « *véritable structure selon laquelle se déroule le film n'est pas celle de la tragédie, mais du "Jeu de la Passion", où, mieux encore, du Chemin de Croix* » (p. 42 [43]). Au cours de l'entretien entre l'humble desservant d'Ambricourt et le curé de Torcy, dans la cabane abandonnée au milieu des pâturages (séquence 29), Bresson confie à la « parole intérieure » du héros le commentaire

décisif. À cet instant, la fidélité à Bernanos est, pour ainsi
dire, textuelle ; les paroles du curé de Torcy s'effacent sous
la voix *off* du prêtre : « Le vrai est que depuis toujours c'est
au jardin des oliviers que je me retrouve. C'était un mouvement de l'âme très familier, très naturel, je ne m'en étais
pas avisé jusqu'alors. » Alors que le visage du prêtre est cadré
en gros plan, le commentaire poursuit : « Et tout à coup
Notre-Seigneur me faisait cette grâce de me révéler par la
bouche de mon vieux maître que rien ne m'arracherait à la
place choisie par moi de toute éternité, que j'étais prisonnier
de la sainte Agonie. »

C'est à la solitude et à la souffrance du Christ à Gethsémani que correspondent ici la solitude et la souffrance assu-
mées par le prêtre. Double solitude, physique et morale ,vécue
dans le presbytère — où surgissent, comme dans le roman,
les tentations du doute, de l'angoisse et même du suicide —
ou au milieu des autres, dont les motivations sont traduites
par l'expression du visage : visage froid et sévère du Comte,
indifférent ou sournois de Mlle Louise, poli et hostile de la
Comtesse, douloureux et cynique de Chantal, dur et fermé de
la mère de Séraphita. Face aux enfants du catéchisme, au
village replié sur lui-même dans l'indifférence, au château
mûré dans son hostilité, le « saint » de Bernanos et de Bresson ressemble à un accusé traqué par le regard et le jugement d'autrui.

Les décors — intérieurs et extérieurs — renforcent en
général cette impression de solitude, suggérant une atmosphère d'étouffement, de « *lieu clos* » (p. 156 [42]) (le presbytère,
le château) ou évoquant explicitement le calvaire du Christ
au Golgotha dans la très belle, très sombre et très pathétique
séquence nocturne (séquence 31) de la chute du prêtre dans
la boue (admirable plan d'ensemble du sommet de la petite
colline et de l'arbre dont les branches très ramifiées et le

tronc épais envahissent presque tout l'écran). Le choix des cadrages et de la nature des plans s'harmonise aussi avec cette thématique de la solitude et de la souffrance.

Par souci de dépouillement, Bresson a peu utilisé les plans d'ensemble, si ce n'est dans la mesure où le prêtre y apparaît comme perdu au milieu du paysage : c'est la justification du plan de la séquence 31, que nous venons de citer, comme celle du plan du parc du château, où court le héros, averti de la mort de la Comtesse (séquence 25), dans l'aube blême du matin. Pour suggérer la souffrance de son héros, l'auteur fait appel aux plans moyens, aux plans rapprochés et surtout aux gros plans. C'est sur le visage du prêtre que se déchiffrent les symptômes de la fatigue, de la douleur physique, du doute, de l'angoisse, de la souffrance spirituelle. Relevons, à titre d'exemple, ce gros plan du visage de Claude Laydu, cadré à travers la portière de l'automobile de Torcy, tandis que la voix *off* prononce cet aveu : « J'étais à ce moment hors d'état de supporter des confidences. On aurait dit un filet de plomb fondu sur une plaie vive. Je n'avais pas autant souffert, et je ne souffrirai probablement jamais plus, même pour mourir. »

En dehors du visage, la caméra cadre volontiers les grilles du château, les fenêtres ou les portes du presbytère, de même qu'elle fait ressortir les arêtes d'un meuble ou d'un mur comme les symboles d'une invisible prison. Suscités par les éclairages de la photographie, les jeux d'ombre et de lumière acquièrent eux aussi une valeur symbolique. Bresson nous a lui-même confié qu'il avait beaucoup travaillé les éclairages et les tons de la photographie dans un constant souci d'exactitude (un personnage parlant juste, mais éclairé artificiellement apparaîtrait inauthentique), de simplification (l'image doit montrer l'essentiel et non l'accessoire : par exemple, la soutane du prêtre, mais non pas les détails de celle-ci), de précision (photographie centrée sur le point lumineux le plus important) et de réalisme : le rôle de la photographie est de rendre les choses intelligibles, non de les idéaliser (d'où le refus d'images trop belles ou trop brillantes) ; il consiste aussi à se soumettre au thème central traité. La tonalité d'ensemble des images est grise, mais ce gris naît lui-même des contrastes soigneusement établis entre les noirs, les gris et les blancs. Un peu moins du quart des séquences (8 sur 37) se déroule la nuit, mais la place de ces séquences nocturnes dans la structure d'ensemble de l'œuvre leur confère une importance primordiale, d'autant plus que leur contenu renvoie directement au contexte du surnaturel.

Puisque Dieu est « Celui qui ne répond pas », puisque le prêtre vit la tragédie de la « nuit mystique », le crucifix de sa chambre demeure plongé dans l'ombre, l'abat-jour de sa lampe à pétrole dessine comme un cerne sur son visage [44], cette lampe elle-même s'éteint quand la voix *off* confesse : « Dieu s'est retiré de moi. De cela je suis sûr. » (séquence 17). La référence à la Passion du Christ apparaît évidente au cours de la séquence 31, évoquée précédemment, où l'on discerne de très clairs symboles et métaphores christiques : la perte de sang, les marques de vin et de sang sur un visage blême, la marche dans la nuit, la chute dans la boue du bois d'Auchy, l'évanouissement dans la nuit rappellent explicitement la nuit de Gethsémani, la montée au Calvaire, la chute sous le poids de la Croix, de même que le torchon de Séraphita évoque un modeste voile de Véronique.

Mais la mort de la Croix, la souffrance horrible du Christ assumée au cours de sa Passion débouchent sur le mystère de la Résurrection. Le « Dieu caché » de Bernanos et de Bresson est présent au cœur même de son absence. Symbole de l'angoisse, de la souffrance, du doute, du désespoir et du néant de l'âme, la nuit est aussi chez saint Jean de la Croix

(*La Nuit obscure*), Péguy (*Le Porche du mystère de la deuxième vertu*) et Bernanos le symbole de la voie qui conduit à l'espérance. À la fin de son *Mystère*, évoquant la nuit qui descend sur le Golgotha après la mort du Christ, Péguy chante l'irruption de l'espérance sur la terre. Dans *La Nuit obscure*, Jean de la Croix affirme que l'expérience du « vide » absolu est nécessaire pour découvrir Dieu. Simone Weil note que le contact avec l'univers du surnaturel peut être vécu dans un premier temps comme une expérience du néant : « *Un mode de purification : prier Dieu, non seulement en secret par rapport aux hommes, mais en pensant que Dieu n'existe pas.* » (p. 23 [45]).

« *La grâce comble* [écrit encore Simone Weil] *mais elle ne peut entrer que là où il y a un vide pour la recevoir, et c'est elle qui fait ce vide.* [...] *Qui supporte un moment le vide, ou reçoit le pain surnaturel, ou tombe. Risque terrible, mais il faut le courir, et même un moment sans espérance.* » (pp. 12-3 [45]). Dans le roman et dans le film, le petit curé d'Ambricourt assume ce risque. Le « creux », le « vide » auquel il « fait face » a une dimension positive : il est, en quelque sorte, le point par où Dieu passe, à travers son serviteur qui agit comme à son insu, de façon surnaturelle. C'est dans la mesure où son amour répond dans la nuit à l'amour caché et secret de Dieu que le prêtre contribue à sauver Chantal du suicide et la Comtesse du désespoir. Quand le curé d'Ambricourt s'efforce d'arracher à Chantal, dont la face crispée sort lentement de l'obscurité du confessional, un secret désir de suicide, son visage apparaît comme irradié par une lumière discrète (séquence 22). Au cours de la longue entrevue décisive avec la Comtesse, il trouve au travers de sa propre souffrance, de son propre doute, un à un, les arguments humains et surnaturels qui provoquent le retour de la paix dans une âme désespérée (séquence 23). La lettre de la Comtesse, dont il ne parlera à personne, en apporterait une preuve, si cela était nécessaire : « [...] le souvenir désespéré d'un petit enfant me tenait éloigné de tout, dans une solitude effrayante et il me semble qu'un autre enfant m'a tirée de cette solitude. [...] Je me demande ce que vous avez fait ou plutôt je ne me le demande plus. Tout est bien [...] Je ne suis pas résignée, je suis heureuse, je ne désire plus rien. » (séquence 24).

Roman ou film, *Journal d'un curé de campagne* nous donne l'intuition de l'aventure surnaturelle, marquée par une dialectique de la souffrance et de la joie. Certes, Bernanos et Bresson ont davantage souligné la présence fréquente de la souffrance, mais la joie n'est pas absente du récit romanesque ou cinématographique. Elle se discerne, par exemple, dans ce réveil du prêtre, au chant des coqs, dans cet éclairage plus lumineux, dans ce visage radieux, à l'instant où le crayon trace les lignes suivantes : « La délivrance de l'aube m'est toujours aussi douce. Que les matins soient bénis ! Je prie mieux. » (séquence 32). Elle s'observe pendant la rencontre du prêtre et d'Olivier, dans la course de la motocyclette, dans les rires des deux hommes (séquence 34). Elle se déchiffre enfin, au-delà de toute crainte et de toute angoisse, dans le regard dévoré d'amour et d'espérance de Claude Laydu, au dernier plan de l'avant-dernière séquence — regard rendu plus émouvant encore par un travelling-avant sur un visage qu'éclairera la lumière de la mort.

Contrairement à celle de *Dies irae* (Dreyer), la croix qui surgit sur l'écran comme dernier plan du film n'est en rien le symbole d'une contrainte ou d'une oppression. Substituée à une image ordinaire, elle met en valeur le texte (la lettre de Dufréty lue par Torcy), à cet instant précis, tiré presque mot pour mot de Bernanos, et qui converge

vers l'admirable : « Tout est grâce ». Image la plus simple
qui se puisse concevoir, elle est en harmonie avec la simplicité même des dernières lignes bernanosiennes. Aboutis-
sement du texte final, mais aussi du film lui-même, elle
marque la fin d'une aventure à la fois terrestre et surnaturelle assumée librement dont elle représente le signe. Il
n'y avait plus pour Bresson d'autre image possible. Et cette
croix du « Tout est grâce » suggère à la fois la fin de la
vie (elle serait alors le symbole de la tombe), la fin de
l'aventure spirituelle terrestre du héros qui devait nécessairement passer pas le Golgotha (croix de la Passion du
Christ) et une fin qui n'est pas la Fin puisque Bresson —
comme Bernanos — croit en l'éternité. Mais comment
communiquer l'intuition de l'éternité autrement que par
cette croix ?

*

Contrairement à ce qu'écrivait Henri Agel, la croix de
Journal d'un curé de campagne ne relève, par conséquent,
en rien « *d'une volonté de désincarnation* » [46], et ne saurait
être comparée à la page blanche de Mallarmé. L'esthétique
du film de Bresson se situe, au contraire, à nos yeux dans
la ligne d'une esthétique de l'*incarnation*. Par le rôle fondamental donné au procédé du journal intime qui permet
précisément au prêtre de confronter les faits de la vie quotidienne avec leurs prolongements dans l'univers du surnaturel (celui-ci n'étant en aucune façon coupé du réel quotidien). Par l'harmonie établie entre les composantes du monde
extérieur (ciel gris, pluie, nuit, etc.) et l'aventure spirituelle
d'une âme « prisonnière de la sainte Agonie ». Le monde
extérieur est suggéré ici dans son réel concret : tombes du
cimetière, tonneau de vin auquel on puise, grincement des

charrettes devant l'église, route marécageuse où Séraphita lance sa gibecière, parc du château où court le prêtre après la mort de la Comtesse, terre glacée et boueuse du bois d'Auchy où le curé d'Ambricourt est terrassé par la douleur...

L'aventure surnaturelle du prêtre s'insère dans le quotidien, que suggèrent à la fois l'image et le son, auxquels Bresson accorde une égale importance. Le mouvement de la Passion se déchiffre sur le visage de Claude Laydu au point de paraître par moment le défigurer, de même qu'il s'inscrit dans le contexte réaliste du crépitement de la pluie, du souffle du vent, des grincements des volets du presbytère, du raclement du rateau du jardinier au cours du dialogue décisif avec la Comtesse. Des rapports élaborés entre l'image et le son naît une « *dialectique du concret et de l'abstrait par l'action réciproque d'éléments contradictoires de l'image* » (p. 38 [43]) [47]. Mais l'abstraction chez Bresson, loin de conduire au concept, mène à la « stylisation », elle-même soumise au thème traité.

C'est cette « stylisation » de l'image — paradoxe surprenant — qui transcrit la richesse de la vision du monde bernanosienne, laissant la « parole intérieure » suggérer l'essentiel : le dialogue avec Dieu. « *La grande, l'étonnante réussite de Robert Bresson* [écrit Albert Béguin] *consiste précisément en ceci que, dans le film réalisé, les paroles retrouvent le poids même, la densité, les harmoniques qu'elles ont chez Bernanos et ne les retrouvent que grâce aux images qui leur font un nouveau contexte, nullement identique à l'autre, mais en quelque sorte équivalent. Littéralement de même valeur, au sens esthétique ou pictural du terme.* » [12].

De même qu'il part du réel pour le reconstruire au niveau esthétique (choix des angles de prises de vue, cadrages, durée des plans, éclairages, mouvements de caméra, liens entre les séquences), le récit de Bresson renvoie, au plan métaphysique, de l'apparence à l'essence des êtres et des choses. Ainsi Bresson, par des procédés esthétiques spécifiques et profondément originaux, transcrit-il remarquablement l'esprit du roman et la vision du monde dont il s'est inspiré. Jouant un rôle décisif dans l'évolution de l'œuvre du cinéaste, *Journal d'un curé de campagne* a exercé également une influence historique dans le domaine de la transposition d'un roman à l'écran. Avec lui, notait à juste titre André Bazin, « *s'ouvre un nouveau stade de l'adaptation cinématographique* [...] *Il ne s'agit plus ici de* traduire *si fidèlement, si intelligemment que ce soit* [...] *mais de* construire *sur le roman par le cinéma, une œuvre à l'état second. Non point un film* "comparable" *au roman ou* "digne" *de lui, mais un être esthétique nouveau qui est comme le roman multiplié par le cinéma.* » (pp. 50-1 [43]).

II

MOUCHETTE

Avec *Journal d'un curé de campagne,* Bresson avait adopté le parti pris d'une transposition à caractère litté-raire : les procédés du journal intime et de la voix *off* ainsi que le choix des dialogues fidèlement empruntés à Bernanos contribuaient à donner à la parole presque autant d'importance qu'à l'image dans le cours du récit cinémato-graphique. La perfection esthétique du film et la fidélité au chef-d'œuvre de l'écrivain naissaient très exactement d'une dialectique soigneusement élaborée entre la parole, les silences, l'image et les sons.

Seize ans plus tard, Bresson saisit à nouveau l'occasion d'adapter Bernanos à l'écran : « *Je brûlais, l'été dernier, de tourner. Mais le temps me manquait pour préparer quelque chose qui sortît de ma plume. Et puis, j'aimais Mouchette, petit héros dans le civil. En même temps, je me défiais de l'atroce. Saurais-je rendre Mouchette supportable sans l'adoucir ?* » [9]. Mais il s'engage dans une voie différente : « *S'il y a peinture dans un roman au lieu d'analyse et de psychologie, c'est encore avec des mots. J'échappe aux mots. S'il y a analyse et psychologie dans mes films, c'est avec des images et plutôt à la manière des peintres portrai-tistes.* » [48]. Avec *Mouchette,* le cinéaste « échappe aux mots » dans la mesure où il rejette tout commentaire en voix *off* et où il extrait le minimum de dialogues de l'œuvre originale,

les détachant par surcroît de leur contexte littéraire. Il
« échappe » encore aux mots en affirmant une indiscutable
suprématie de l'image sur la parole, d'où naît un poème
cinématographique tendre et atroce. Au niveau de l'écriture
cinématographique et dans son projet fondamental, cette
conception de l'adaptation apparaît plus moderne que celle
de *Journal d'un curé de campagne* ; dans sa réalisation, il
ne semble pas qu'elle suggère avec assez de force de convic-
tion tous les niveaux de lecture du roman bernanosien.

*

Que Bresson ait voulu demeurer fidèle à l'esprit de
celui-ci, comme il l'avait été pour *Journal d'un curé de campagne*, ne fait aucun doute, mais avec *Nouvelle histoire de
Mouchette* le passage du langage romanesque au langage
cinématographique était, en dépit des apparences, sans doute
moins aisé. Du roman au film, le premier terme de comparaison qui s'offre à la critique concerne la structure et le
rythme des deux œuvres : à cet égard, il importe d'emblée
d'établir un certain nombre de rapprochements et d'oppositions.

L'œuvre de Bernanos — bref roman ou longue nouvelle,
peu importe — comprend quatre sections essentielles marquées explicitement par l'écrivain : I, II, III, IV. D'un samedi,
en fin d'après-midi, à un dimanche matin, l'aventure de
Mouchette se déroule en quatre temps, insérée dans quatre
chapitres dont le rythme épouse la courbe d'une tragédie.
Le premier est le plus long (environ 32 pages : pp. 1265—98),
qui comprend la sortie de l'école, la fuite dans le bois, la
rencontre d'Arsène, la naissance de l'amour et le viol. D'égal
volume (environ 19 pages), les deuxième (nuit de samedi à
dimanche : pp. 1298—317) et troisième (le dimanche matin :

pp. 1318—37) chapitres décrivent l'impossibilité pour Mouchette de communiquer avec sa mère (dont la mort survient
à l'instant de l'aveu) et avec les habitants du village (l'épicière, la femme du garde Mathieu, Philomène, la veilleuse
des morts). Enfin le suicide de Mouchette s'accomplit au
cours du bref quatrième chapitre (7 pages : pp. 1337—45).

Dans le film de Bresson, quatre parties essentielles
peuvent également être discernées, mais cette division pourra
être jugée quelque peu arbitraire dans la mesure où les
séquences [49] ne sont ni indiquées par l'auteur dans le découpage initial, ni à plus forte raison regroupées en « ensem-
bles ». Dans la mesure encore où le récit bressonien — depuis
Un Condamné à mort s'est échappé réalisé en 1956 — tend
à s'identifier à une coulée homogène (en dépit de sa discontinuité) qui répugne au fractionnement logique. À partir de
l'enchaînement des séquences, un examen minutieux du
découpage technique (initial et final) [50] et plusieurs lectures
du film nous ont cependant incité à proposer une division
de *Mouchette* en quatre grandes parties, dont chacune est
séparée de la précédente par un fondu-au-noir [51] :

PREMIÈRE PARTIE : exposition et évocation de « l'environnement » psycho-sociologique de Mouchette. 5 séquences
comportant environ 80 plans : 1) présentation d'Arsène et
de Mathieu dans la forêt ; 2) l'école et Mouchette ; 3) la
maison du garde Mathieu ; 4) le café où, pendant la nuit,
se rendent le père et le frère de Mouchette ; 5) Mouchette
dans la maison de ses parents.

SECONDE PARTIE : vie quotidienne de Mouchette. 6 séquences comprenant environ 120 plans : 6) Mouchette à l'école
(séquence de l'harmonium) ; 7) Mouchette sort de l'école ;
8) Mouchette chez ses parents ; 9) intérieur du café, le dimanche matin ; 10) abords et intérieur de l'église ; 11) la fête
foraine.

TROISIÈME PARTIE : l'aventure avec Arsène. 4 séquences comportant environ 160 plans : 12) double départ, le matin, de Mathieu vers la forêt et de Mouchette vers l'école ; 13) Mouchette sort de l'école et s'enfuit dans la forêt, où elle rencontre Arsène ; 14) et 15) la nuit avec Arsène, dans la cabane, puis dans la buvette abandonnée.

QUATRIÈME PARTIE : les conséquences de l'aventure. 8 séquences comprenant environ 200 plans : 16) Mouchette cachée près de la buvette, après le viol ; 17) mort de la mère de Mouchette ; 18) Mouchette s'enfuit de sa maison ; 19) au village, chez l'épicière ; 20) Mouchette traverse la place de l'église ; 21) Mouchette chez le garde Mathieu ; 22) Mouchette chez la veilleuse des morts ; 23) suicide de Mouchette.

La confrontation des structures des deux œuvres fait clairement apparaître que les troisième et quatrième parties du film recoupent les quatre parties du roman, tandis que les deux premières — les plus descriptives — ont été conçues par Bresson à partir de descriptions, d'allusions ou de commentaires insérés dans le récit romanesque (exception faite de la fête foraine, dont la dimension « claire » soulignera par antithèse la dimension « sombre » de l'aventure nocturne de Mouchette [52]).

Mais les proportions de *Nouvelle histoire de Mouchette* — comme celles du *Journal d'un curé de campagne* — demeurent respectées dans la mesure où, ne reprenant pas le commentaire du romancier en voix *off*, Bresson s'est attaché, pour donner des développements vraisemblables et nécessaires au récit bernanosien, à décrire d'abord « l'environnement » psycho-sociologique de Mouchette sans accorder une importance excessive aux deux premières parties de son film. Celui-ci comprend 8 bobines d'environ 300 mètres chacune [50], 23 séquences et environ 560 plans [53]. Or, les deux premières parties se composent de 11 séquences, mais seulement de 200 plans et la seconde bobine s'achève au cours de la séquence 11 : elles représentent donc un peu plus du quart de la longueur totale du film (2 bobines sur 8).

Centrant son œuvre sur la solitude tragique d'une enfant de pauvres alcooliques, en milieu rural, Bresson respecte l'unité d'action et l'unité de lieu adoptées par Bernanos. Mais, au resserrement de l'intrigue dans le temps (dans le roman, l'action se déroule en moins de 20 heures, d'un samedi, au crépuscule, au dimanche matin, à l'heure de la grand-messe [54]), s'oppose ici l'étirement de l'action sur plus d'une semaine puisque deux dimanches sont évoqués par l'image : l'un au cours des séquences 9, 10, 11 (intérieur du café. plans de l'église, bruits de cloches, fête foraine) ; l'autre, le matin de la mort de Mouchette (séquences 19—23), où l'image montre l'église et où la bande sonore fait entendre les cloches de la messe.

Mais le rythme du film demeure comparable à celui du roman. La troisième partie de *Mouchette* (la nuit dans la forêt) se déroule selon un rythme ample, calqué sur celui de la première partie du livre. Avec ses 4 séquences, elle comprend environ 160 plans — nous l'avons déjà relevé — alors que les deux premières parties comprennent 200 plans, mais 11 séquences, et la quatrième 8 séquences pour 200 plans. Cette dernière partie épouse le mouvement des chapitres III et IV du roman en jalonnant la marche de l'adolescente vers la mort de ces « stations » d'un chemin de croix [55] que représentent les rencontres de l'épicière, de la femme du garde et de la veilleuse des morts — ces « Érinnyes » selon le mot de Bresson [56].

*

L'étude des structures respectives et du rythme des deux œuvres représentait le premier terme de notre comparaison. À partir de l'architecture d'ensemble de son film, il semble que Bresson ait voulu transcrire les richesses du texte bernanosien par transpositions directes, recherches d'équivalences, volonté de suggestions.

Un petit village dominé par la pauvreté et l'alcoolisme, entouré de bois où s'affrontent Arsène, le braconnier, et Mathieu, le garde-chasse. Le ton de la tragédie est donné dès l'ouverture, dès ces premiers plans qui précèdent le générique et montrent la mère de Mouchette en train de prier dans une église vide : « Sans moi que deviendront-ils ? » D'emblée, la mort est suggérée, omniprésente dans l'œuvre de Bernanos et dans celle de Bresson. Les premières séquences soulignent la cruauté (chasse au collet) et la médiocrité (l'alcoolisme) du contexte où vit Mouchette, comme la misère et la solitude (maladie de la mère) qui accablent l'enfant. Au cours des séquences 4 et 9, l'alcool est mis en relief à la fois par l'objet (le verre, la bouteille), le geste (la main saisissant un verre) et le mutisme des personnages (le père et le frère de Mouchette). Comme le note Pierrette Renard-Georges, il est devenu « *non seulement réflexe du corps, mais moyen privilégié de communication, plus essentiel que la parole* » et les plans du café « *ponctuent la vie diurne et nocturne, le travail, la contrebande aussi bien que les jours de fête du village* » [57]. L'atmosphère du livre se retrouve très vite dans le film, à cette réserve près — importante — que l'eau, la pluie, la boue y jouent un rôle moins marqué.

C'est que Bresson a tourné *Mouchette*, non pas dans le Pas-de-Calais — comme *Journal d'un curé de campagne* —, mais dans le Vaucluse (à Apt), où le ciel, la lumière et le soleil de l'automne (le tournage s'est déroulé du 12 sep-

tembre au 17 novembre 1966) devaient nécessairement donner une tonalité différente de celle du nord de la France
observée dans le roman. Mais les forêts qui surgissent sur
l'écran n'en traduisent pas moins avec une justesse d'obser-
vation remarquable la beauté, la poésie et le mystère de
la nature et des paysages bernanosiens. Le décor naturel,
comme les grandes lignes de force de l'intrigue et les
principaux personnages (dont les visages, les silhouettes,
les attitudes apparaissent très judicieusement transposés
chez les « modèles » [58], c'est-à-dire les acteurs de Bresson)
s'insèrent dans le récit cinématographique sans nous décon-
certer.

En revanche, la transposition historique opérée par
le cinéaste — le passage des années 1930 aux années 1960
discernable dans les costumes et la présence des auto-
tamponneuses au cours de la séquence de la fête foraine —
risque de surprendre le lecteur de Bernanos. Si Bresson
a situé l'intrigue de *Mouchette* à notre époque, c'est qu'il
estime que la tragédie de la misère se déroule encore
aujourd'hui et, d'une façon plus générale, que le propre
d'un film est de remettre le passé au présent. Avec *Les
Dames du Bois de Boulogne*, il transposait Diderot au
XXᵉ siècle. À propos de *Procès de Jeanne d'Arc*, il affirmait :
« *Remettre le passé au présent, c'est le privilège du cinématographe* [...] *j'aimerais que Jeanne naisse à partir de
ce film.* » [59]. À propos de *Mouchette*, il déclare : « *Un film
supprime le passé. Quand je tourne, c'est au présent.* Mouchette *est entré dans ce présent. Je n'ai aucune raison de
revenir en arrière ; la misère, l'alcoolisme sont les mêmes.* » [48].

Le passage d'une esthétique romanesque à une esthétique cinématographique a conduit tout naturellement
Bresson à rechercher un certain nombre d'équivalences. La
simplicité, la clarté et le rythme de son récit linéaire se

calquent sur la structure pleinement dépouillée du roman. Le réalisme des séquences transcrit celui des situations, des faits et des descriptions romanesques avec une force accrue par le pouvoir de suggestion des images. Là où le mot, la phrase laissaient à imaginer, l'image impose directement une vision, un choc affectif immédiatement ressenti par notre sensibilité. À cet égard, la réussite du cinéaste s'affirme exemplaire. Au fil des séquences, de nombreux exemples pourraient être relevés. Nous nous contenterons d'en proposer trois, particulièrement significatifs.

Le premier concerne le duel entre l'institutrice et Mouchette à propos des répétitions de chant. Au début de son livre, Bernanos écrit : « *Il arrive que Madame, furieuse, dégringolant tout à coup de l'estrade, entraîne la rebelle jusqu'à l'harmonium, courbe des deux mains la petite tête jusqu'au clavier.* » (1267). Au cours de la séquence 6, Bresson transpose la phrase du romancier à l'aide de trois plans qui montrent l'institutrice plaquant le visage de Mouchette contre les touches d'un piano et serrant le cou de l'adolescente avec ses doigts à la façon dont le collet s'est refermé sur le perdreau capturé par Arsène : 1) plan moyen : l'institutrice attrape Mouchette par le cou et l'entraîne (panoramique) jusqu'au piano ; 2) plan d'ensemble : elle lui courbe la tête sur le clavier ; les élèves s'arrêtent de chanter ; 3) plan moyen du piano : d'une main, l'institutrice continue de pencher la tête de Mouchette sur le clavier ; de l'autre main, elle enfonce violemment les touches, jouant *fortissimo* la phrase musicale à l'oreille de l'adolescente, en même temps qu'elle chante elle-même.

Au cours de la séquence 15 — second exemple — l'importance accordée par Bresson à la crise d'épilepsie d'Arsène, le réalisme observé dans les mouvements et les gestes du braconnier (cadré constamment en plans moyens), la description par l'image de ce qui est suggéré comme un cas clinique, l'apparition sur l'écran de ce visage convulsé, de ce vin et de cette écume qui coulent des lèvres, la chute d'Arsène qui, au sol, s'arcboute, reins creusés, puis se détend tel un ressort coïncident très exactement avec le mouvement dramatique de la description bernanosienne : « *Puis elle a vu se creuser ses reins, il s'est retourné face au plafond, les yeux blancs, le nez pincé, plus blême que le reste de la figure. [...] Il reste ainsi un moment, jusqu'à ce que de sa bouche tordue sorte un flot d'alcool, mêlé d'écume. Aussitôt ses traits s'apaisent, et, dans le calme retrouvé, gardent une telle expression de souffrance et d'étonnement qu'il ressemble à un enfant mort.* » (1290).

Le troisième exemple est tiré de la séquence 16 lorsque, après le viol, Mouchette s'est enfuie de la buvette et se cache sous une touffe de genêts, humiliée et meurtrie jusqu'au plus profond de son être. Toute l'intensité de sa souffrance est admirablement suggérée par un plan moyen, d'une beauté limpide et mystérieuse, qui laisse deviner, dans la nuit, la présence de l'enfant-femme, immobile et silencieuse, sourde aux appels d'Arsène, telle une statue figée dans la douleur. Dans l'obscurité de la nuit, dont le silence n'est troublé que par l'égouttement de l'eau de pluie, l'image renvoie très fidèlement au texte du roman : « *Elle s'est roulée en boule dans une touffe de genêts où elle ne tient guère plus de place qu'un lièvre. [...] Un moment même, il a dû passer tout près, derrière elle. Mais elle n'a pas tourné la tête, son cœur n'a pas battu plus vite.* » (1296-7).

À ces instants précis, Bresson retrouve, comme par intuition, l'inspiration de Bernanos et le pouvoir de suggestion des images est encore renforcé par les deux constantes de son écriture : l'ellipse et le dépouillement. Né peintre, Bresson demeure peintre et l'auteur de films

qu'il est devenu rejette les images éblouissantes, fuit les
couleurs étincelantes, stylise, épure et recherche le trait
(le plan) unique, singulier en lequel se concentreront la
qualité de l'atmosphère, la vérité des sentiments, le tragique de l'instant : « *Il gomme* [écrit Jean-Louis Bory],
*efface le tremblé du trait, le détail qui empâte, l'excès
de couleurs qui éblouit, donc empêche de voir. Il rêve
d'atteindre à la sereine vigueur du trait simple, unique,
nécessaire, inchangeable — comme Matisse.* » [61].

C'est dans cette perspective que s'inscrit la façon dont
il dirige, et nous présente ses « acteurs » (ou ses « modèles »). Arsène, c'est d'abord une main, un collet extrait d'une
casquette usée, puis un œil épiant les collets à travers
feuilles et branches ; Mathieu, le garde-chasse, un œil qui,
au travers des feuillages, fixe alternativement les collets,
les perdreaux et l'œil du braconnier (les deux adversaires
étant présentés en gros plans auxquels Bresson fera beaucoup moins souvent appel que pour *Journal d'un curé de
campagne* [62]) ; le père et le frère de Mouchette, deux visages
marqués par l'alcool et la stupidité. Les réactions instinc-
tives de l'adolescente — fierté, intransigeance, obstination,
ruse, révolte, méfiance, défi, élan d'amour, souffrance —
se déchiffrent sur le visage de Nadine Nortier avec une rare
simplicité d'expression et se traduisent par des regards ou
des gestes très naturels. Aux regards limpides, douloureux,
inquiets, chargés de rêve de Mouchette — petit animal
traqué tout au long du récit — s'opposent ceux des habitants du village, dont le conformisme apparaît évident :
regards lourds de réprobation lancés à l'adolescente par
les trois femmes qui se rendent à l'église (séquence 20) ;
regards indiscrets de l'épicière (séquence 19) ; regards hypo-
critement offensés de Mme Mathieu (séquence 21). Toute
convention du « jeu » de l'acteur a disparu et le « comé-

dien» s'efface devant la « personne» — une « personne»
qui s'exprime et se livre sur l'écran.

L'inspiration du romancier coule dans les veines du
cinéaste lorsque celui-ci transpose le bestiaire de *Nouvelle
histoire de Mouchette,* où attitudes, gestes, regards et voix des
personnages sont fréquemment comparés à des animaux [63].
Comme le note P. Renard-Georges, ce bestiaire contribue
dans le roman à « *créer un monde très cohérent de pièges,
d'affût et de poursuites, né tout naturellement de la présence du bois et du braconnage mais chargé par le romancier de donner une dimension spirituelle aux événements
dont il anticipe la signification et aux personnages dont il
préfigure le destin.* » (*ÉB9,* 92). Bresson l'a si bien compris
qu'il a repris à son compte la métaphore de la bête traquée :
« *L'épouvante de Mouchette ressemble à l'épouvante d'un
animal traqué. Intuitivement, j'ai introduit dans le film
des perdreaux et des lièvres. Notre vie est liée aux animaux,
indiciblement.* » [48]. C'est pourquoi la première séquence de
Mouchette décrit en gros plans une chasse au collet (pp. 7-8 [50])
(seulement suggérée dans le roman) dont les résonances
funèbres renforcent celles de l'ouverture du film. La mort
cruelle du perdreau étranglé par le collet donne d'emblée
l'intuition de ce que sera celle de l'adolescente, mais la
délivrance du second perdreau par Mathieu et l'envol fré-
missant de l'animal vers le ciel (souligné par un fulgurant
panoramique) préfigurent la possibilité d'une libération au-
delà de la mort. C'est pourquoi, se souvenant sans doute
des chasses cruelles de son enfance [64], Bresson a introduit
dans la dernière séquence l'épisode de la chasse aux lièvres
qui concourt à faire surgir en Mouchette la tentation du
suicide et anticipe directement sur la mort de l'adolescente.
C'est pourquoi Nadine Nortier donne spontanément à
l'héroïne de Bernanos des attitudes d'animal traqué : au-

dessus du clavier du piano, son cou est serré par la main de l'institutrice à la façon dont le lacet du collet étranglait le perdreau ; dans la buvette, pour tenter d'échapper au braconnier, elle bondit tel un lapin hors d'un terrier ; après le viol, silencieuse, blottie sous une touffe de genêts, elle évoque un lièvre roulé en boule dans sa cachette.

« *Le domaine du cinématographe* [dit Bresson] *est le domaine de l'indicible.* » [48]. Là où les équivalences ne suffisaient pas ou n'étaient pas compatibles avec une esthétique cinématographique, l'auteur de *Mouchette* a voulu suggérer « l'indicible » au moyen des rapports établis entre les plans et les sons, accordant une nette primauté à l'image sur la parole.

Dans son œuvre, « l'indicible » s'observe d'abord dans le dépassement de la psychologie — déjà souligné par Bernanos — qui caractérise en particulier la séquence de l'épilepsie (séquence 15). Au début du livre, comme pendant la seconde partie du film (séquence 6), Mouchette refuse de chanter juste et marque une opposition farouche à la musique. « *Elle hait d'ailleurs toute musique d'une haine farouche, inexplicable.* [...] *Chaque note est comme un mot qui la blesse au plus profond de l'âme* [...].» (1266). Haine chez Bernanos, refus et indifférence chez Bresson, l'aversion de l'adolescente pour le chant et la musique s'expliquent par plusieurs causes : dédain éprouvé à l'égard des conventions sociales ; affirmation d'une forte intransigeance ; volonté de rejeter un univers qui demeure pour elle le symbole d'un univers de bonheur, de pureté et d'amour tenu pour inaccessible. Si la musique symbolise la réconciliation avec le monde, la vie et soi-même, Mouchette ne peut que la haïr puisque le monde l'humilie, la rejette dans sa pauvreté, et puisqu'elle s'éprouve inconsciemment irréconciliée avec les autres comme avec elle-même [65].

Devant l'institutrice et ses camarades, l'adolescente refusait de s'exprimer et de dévoiler son être profond par le chant. Immédiatement après la crise d'épilepsie d'Arsène, là tête du braconnier posée sur ses genoux, voici qu'elle peut enfin chanter, d'abord tout bas, d'une voix rauque, puis plus fort, d'une belle voix pure. Pour un temps très bref, la naissance de l'amour l'a réconciliée avec elle-même. « *Elle tient cette tête chérie* [écrivait Bernanos] *ainsi qu'elle tiendrait n'importe quelle chose précieuse, avec la seule crainte de la perdre ou de la briser. Elle n'ose même pas la poser sur ses genoux. Et tout à coup elle chanta.* » (1921). En plans rapprochés, l'image présente les visages de l'adolescente et du braconnier tandis que s'élève le chant :

> Espérez plus d'espérance
> Trois jours leur dit Colomb
> En montrant le ciel immense
> Le fond de l'horizon
> Trois jours et je vous donne un monde
> À vous qui n'avez plus d'espoir
> Sur l'immensité profonde
> Ses yeux s'ouvraient pour le voir.

Les cadrages, l'éclairage, le regard et la voix de l'adolescente, le crépitement du bois dans la cheminée donnent à la séquence une très belle dimension, à la fois réaliste et symbolique. Au-delà du langage et des gestes, dans le silence, entre l'enfant farouchement pure et le braconnier épileptique, à demi ivre, pour quelques instants, une communication des consciences s'est établie.

« L'indicible », c'est aussi le rêve et Bresson a tenté de suggérer la dimension onirique de *Nouvelle histoire de Mouchette* que nous commenterons ultérieurement. De Mouchette, Bernanos écrit : « *Un rêve. Elle n'a même pas été dupe d'un homme, mais d'un rêve...* » (1311). Arsène lui a

parlé de mort (le meurtre de Mathieu) et de cyclone (1284) ;
la mère et les habitants du village n'ont observé qu'un vent
de mer et de la pluie (1310) ; le dimanche matin, le garde
était bel et bien vivant (1321). Comment rendre compte de
ces oppositions ? Dans le roman, l'onirisme naît du réalisme,
mais débouche sur une vision du monde que nous tenterons,
un peu plus loin, d'expliciter. Chez Bresson, l'onirisme s'observe, par l'image, dans le regard que Mouchette porte
sur les êtres et les décors et qui teinte d'étrange, voire de
fantastique, ce que voit ou entend l'enfant-femme. Au cours
de la nuit, dans la buvette, Arsène lui fait entendre le
« cyclone », et l'adolescente en parle à sa mère et à Mathieu.
Après le viol, l'expression de son visage et son comporte-
ment extérieur incitent à penser qu'elle demeure comme
plongée dans une sorte de rêve intérieur : au moment où
elle franchit la barrière qui donne accès à sa maison, parfaitement indifférente au monde, elle n'entend même pas
le bruit provoqué par le passage d'un camion — bruit souligné par le cinéaste à l'aide d'un effet de montage sonore.
Sa mère aura beau lui avoir dit — comme dans le roman —
qu'il n'est tombé qu'une simple pluie, toujours pénétrée de
son rêve, elle affirme encore au garde Mathieu et à la femme
de celui-ci que, pendant la nuit, elle s'est mise à l'abri du
« cyclone ».

  « L'indicible », c'est enfin la certitude suggérée par
Bresson que Mouchette est sauvée en dépit de son suicide.
Comme le relevait Jean de Baroncelli [66], la dernière séquence
du film est l'une des plus belles et des plus émouvantes qui
aient jamais été réalisées. La mort de Mouchette donne la
clef du film, comme elle donnait celle du roman, et tout le
film la prépare, y conduit ainsi que le veut le caractère
inexorable de la tragédie. L'ouverture, avant le générique,
et la première séquence la faisaient pressentir. La veilleuse

des morts introduit dans le courant de conscience de l'adolescente l'idée de la mort : « Toi, Mouchette as-tu jamais
pensé à la mort ? » L'enfant-femme marche vers l'étang où
elle doit mourir et tout concourt, à cet instant, au niveau
de l'écriture cinématographique, à lui imposer la terrible
nécessité de la mort, comme à nous rendre presque littéralement oppressantes les dernières minutes de cette vie
misérable, de ces lambeaux de vie qui se sont déroulés sous
nos yeux : le son lugubre du glas qui sonne régulièrement,
annonçant la fin de la mère, survenue dans la nuit ; les
coups de feu multiples des chasseurs ; la course éperdue et
les derniers soubresauts des lièvres frappés à mort par les
plombs ; le regard de Mouchette au lièvre agonisant à ses
pieds. Pour abattre le gibier, les hommes ont besoin d'armes
à feu ; il leur suffit d'être indifférents, de ne pas répondre
à l'aspiration à l'amour authentique pour participer au suicide d'une enfant.

À la première lecture, le suicide de Mouchette apparaît,
chez Bernanos, non seulement plus volontairement décidé,
mais surtout plus désespéré. Au contraire, dans le film,
l'adolescente semble rencontrer la mort comme dans un
jeu. Drapée dans la belle robe blanche de mousseline qui
lui a été donnée par la veilleuse des morts, elle joue à se
laisser glisser en roulant sur elle-même le long de la pente ;
une fois, deux fois, son corps s'arrête à la limite de la terre
et de l'eau ; la troisième fois, l'adolescente est comme aspi-
rée par l'étang et, seule, la robe blanche demeure sur
l'herbe. « *Mouchette dévale la pente en rouleau* [dit Bres-
son] *l'eau se referme sur elle comme sur rien. C'est cet
escamotage qu'est la mort que j'ai voulu aussi faire sentir
dans le* Procès de Jeanne d'Arc *avec le bûcher et les chaînes
soudain vides.* » [48]. « Correspondances » de deux destins. À
la fin de *Procès de Jeanne d'Arc* comme à celle de *Mouchette*

une adolescente innocente meurt, condamnée à mort par la stupidité et la cruauté de ses bourreaux. Certes, Jeanne meurt en sainte (après avoir été « relapse »), et Mouchette se tue, mais la lecture des deux œuvres de Bresson impose à l'évidence, dans les deux cas, l'idée de salut.

Comme le note Pierrette Renard-Georges (*ÉB9*, 96), l'aventure tragique de Mouchette se déroule chez Bernanos dans le passage symbolique de l'ombre (l'obscurité du bois) à la lumière (la luminosité de l'étang), de la nuit (sortie de l'école, fuite dans le bois, viol, mort de la mère) au jour (la mort survenant le dimanche matin, à l'heure de la grand-messe). Le symbolisme de l'ombre et de la lumière est repris par Bresson, de façon moins systématique en fonction de la structure même de son film (ajouts de deux parties — les deux premières — où alternent le jour et la nuit), mais néanmoins fidèle au modèle .original. Pendant la dernière séquence, la robe blanche, la luminosité de l'étang, la clarté de l'eau, les rayons du soleil dans la clairière, la noblesse des mouvements de caméra qui accompagnent Mouchette dans son jeu [67] ainsi que les extraits du *Magnificat* de Monteverdi suggèrent indiscutablement que l'adolescente découvre, dans ces noces avec la mort, une réelle délivrance.

Aucun doute n'est possible. Le *Magnificat* de Monteverdi sur lequel s'ouvre et se referme *Mouchette* confère à cette tragédie de la misère et de la solitude une dimension indiscutablement spirituelle : « *Il n'est pas musique de soutien ou de renfort* [dit encore Bresson] *il précède et conclut. Il enveloppe le film de christianisme. C'était nécessaire.* » [48]. Si la mort de Mouchette, dans le livre comme dans le film, donne la clef de la tragédie, la partition musicale — au reste fort brève — apparaît ici comme l'élément fondamental qui suggère le salut. Mais pour quelles raisons ? Par son réalisme poétique, Bresson nous impose la certitude d'une libération conquise au-delà du suicide ; il ne nous en donne pourtant pas les raisons, il ne nous en laisse pas pressentir la motivation profonde. Bien entendu, le spectateur qui, au préalable, aura lu le roman retrouvera dans le récit bressonien la problématique bernanosienne. Mais, pour qui ne connaîtrait pas *Nouvelle histoire de Mouchette*, l'œuvre de Bresson risque de ne pas introduire d'emblée au cœur même de l'univers surnaturel du roman.

*

Pour l'essentiel, la transcription de Bresson est indéniablement fidèle au modèle original et elle a donné la vie à une très belle œuvre cinématographique. À notre avis, elle n'en comporte pas moins des limites. On comprend très bien pourquoi Bresson n'a pas repris le commentaire en voix *off* du *Journal d'un curé de campagne* : appliqué à Mouchette, ce procédé serait apparu ridicule et faux puisque l'adolescente est totalement incapable de s'analyser. Mais l'auteur de *Mouchette* aurait pu concevoir un commentaire objectif, le sien, qui aurait pris, à certains moments décisifs du récit, la place de celui du romancier. Le refus du commentaire en voix *off* sous quelque forme que ce soit impliquait que les images traduisent fidèlement les mots et que le récit cinématographique suggère, en profondeur, l'opacité, le mystère, le secret des faits et des êtres.

Dans tous les romans bernanosiens — et en particulier dans *Nouvelle histoire de Mouchette* — la technique du récit revêt une importance fondamentale. Si elle fait appel à l'ambiguïté, au mystérieux, à l'interrogation, c'est parce qu'elle incite le lecteur à comprendre que chaque événement essentiel, relaté ou évoqué, se déroule sur deux plans.

Le lecteur perçoit d'emblée le plan sensible, les données du réel apparent, le cheminement de l'intrigue, le dialogue ou les réflexions du romancier ; puis il est incité à s'élever, au-delà des apparences, dans le prolongement du réel, jusqu'au plan surnaturel [68]. Le romancier passe aisément de l'un à l'autre de ces plans, constamment fidèle à un souci de réalisme dans le choix des images, l'évocation des gestes des personnages ou les mouvements syntaxiques du texte, soit qu'il évoque la réalité familière, soit qu'il tente de suggérer celle de l'univers surnaturel.

C'est dans cette perspective qu'il convient de mettre l'accent sur la fonction du récit qui, dans *Nouvelle histoire de Mouchette*, conduit aux dimensions métaphysiques les plus profondes du roman. Témoignant d'une interpénétration du temporel et de l'éternel, le récit bernanosien unit la voix de Mouchette et celle de Bernanos — voix inséparables l'une de l'autre, et dont l'union contribue à la création d'un ton à la fois tendre et tragique : « *Est-ce Bernanos, est-ce Mouchette qui parle ? Bourrue et tendre, parfois amère, soudain éclatante et concise à la fois, la voix qui s'élève, celle de Bernanos et de Mouchette, n'est tout à fait ni une explication ni un commentaire. Elle participe au drame, elle est elle-même action* » [69]. Bernanos part d'un récit en apparence limpide, simple, clair et d'un réalisme romanesque « classique » (descriptions, situations, dialogues), mais crée un décalage par rapport à ce réalisme en brisant le récit par un commentaire et en le remettant en question par le passage fréquent des faits à leurs prolongements tels que les éprouve Mouchette, tels que les interprète et les explicite (pour le lecteur) le romancier. L'emploi de la troisième personne du singulier et la description narrative objective des faits traduisent à l'évidence l'intervention du romancier, mais le recours au pronom indéfini *on* (surtout dans le premier chapitre) marque l'union de Bernanos et de son héroïne :

On entend ce bec cracher et siffler dans le vent, mais il se relève toujours [...]   (1269)
L'ombre est maintenant si épaisse qu'on ne distingue plus le sol. À peine entend-on parfois l'aboiement lointain d'un chien, aussitôt emporté par le vent.   (1270)

De même, le paysage[70] est évoqué à la fois objectivement par le romancier-narrateur et subjectivement à travers le prisme des sensations de l'adolescente (l'averse, le froid, l'obscurité, la boue, le vent, etc.).

Bresson a calqué sur l'apparente simplicité du récit bernanosien la simplicité de son propre récit cinématographique, mais il ne s'est élevé que par instants au second niveau de lecture du roman : la remise en question du récit. Par rapport à la trame linéaire des séquences, il introduit certes une distance au moyen des silences, des regards, des larmes ou des mains (cf. les séquences de la chasse au collet, de l'épilepsie, de la mort de la mère, de l'épicerie), mais le décalage par rapport au réel le plus familier semble nettement moins prononcé que dans le roman[71].

Bernanos avait eu le souci de faire appel à ce décalage, c'est-à-dire à un procédé esthétique, pour mieux suggérer la dimension onirique et surnaturelle de son récit, c'est-à-dire sa vision du monde. À la première lecture, écrivions-nous plus haut, le suicide de Mouchette apparaît dans le roman plus désespéré que dans le film. Mais une étude plus attentive du texte bernanosien permet de revenir sur cette première impression. Sous son apparente simplicité, celui-ci cache une réelle complexité que Bresson, semble-t-il, a seulement entrevue. Certes, en ne suivant pas à la lettre la description du suicide tel que celui-ci se déroule au dernier chapitre du roman, le cinéaste retrouve une nouvelle fois l'inspiration du romancier, qui confiait à André Rousseaux :

C'est un petit héros Mouchette ! Il y a dans son aventure quelque chose de la course de taureau : vous savez, le taureau qui lutte jusqu'à la limite de ses forces contre les piques, contre les banderilles, contre l'épée, contre les hommes ligués qui le harcèlent. Le suicide de Mouchette, ce n'est pas un suicide proprement dit ; à mes yeux, c'est la mort du taureau qui s'est bien battu et qui ne peut plus rien que tendre le cou. Je croyais l'avoir montré pourtant, l'avoir dit. Mouchette ne se tue pas vraiment. Elle tombe et s'endort après avoir attendu jusqu'au bout un secours qui ne lui venait pas.[72]

L'héroïne de Bresson — nous l'avons relevé — entre dans la mort, non comme dans un sommeil, mais comme en se jouant. Le cinéaste croit, lui aussi, que le suicide de l'enfant-femme conduit à une rédemption. Il l'a clairement affirmé : « *Le suicide de Mouchette n'est pas vu par Bernanos, pas plus que par moi, comme une fin mais comme le commencement d'autre chose* »[56]. Il l'a explicitement suggéré par l'esthétique même de la dernière séquence de son film. À l'intérieur d'une vision spirituelle de l'univers, il n'en demeure pas moins au niveau de la psychologie, que Bernanos a pleinement dépassé.

À la lecture du roman, quiconque tente, en effet, de replacer le suicide de Mouchette (suicide très particulier, non conventionnel, mais suicide tout de même) dans ses prolongements les plus profonds, dans sa causalité fondamentale, ne saurait se satisfaire ni de l'explication psychologique (suicide par désespoir), ni d'une explication de type psychanalytique (l'adolescente aurait noyé son corps, non son être intérieur), moins encore d'une explication d'ordre symbolique et poétique qui discernerait dans la noyade de Mouchette la victoire des eaux mauvaises sur la terre nourricière [73]. « *Pauvre Mouchette !* [disait Bernanos] *Que ne va-t-on pas dire de son histoire, si on voit en elle une désespérée ! Mais c'est tout le contraire pour moi. C'est un petit héros Mouchette !* [...] *Cette résistance de Mouchette, c'est ce à quoi je tiens le plus, précisément. Parce qu'elle témoigne de l'honneur de l'homme.* » [72].

Bernanos donne au suicide de l'adolescente une double dimension surnaturelle. La tentation de la mort est d'abord pour Mouchette celle de Satan, comme elle l'avait été pour l'héroïne de *Sous le soleil de Satan* (212—4). C'est à cette extraordinaire situation limite, où l'appel à Satan jaillit au cœur du désespoir absolu et implique aussitôt le suicide, que répond l'interrogation de *Nouvelle histoire de Mouchette* : « *Fut-ce à ce moment que Mouchette subit le deuxième assaut de la force obscure qui venait de s'éveiller au plus profond, au plus secret de sa chair ? Il fut si violent qu'elle se mit à piétiner sur l'étroite plate-forme en gémissant, ainsi qu'une bête prise au piège.* » (1342).

Tentation de Satan, la fascination de la mort se révèle aussi réponse à l'appel de Dieu, à l'appel de l'éternité. Paradoxe, certes mais paradoxe seulement apparent pour qui s'efforce de déchiffrer en profondeur la problématique du roman.

Œuvre de fiction, *Nouvelle histoire de Mouchette* est née, on le sait, à la fois d'un événement historique et d'un projet littéraire [74]. Bernanos a déclaré lui-même qu'il avait été profondément influencé par la guerre civile espagnole (déclenchée le 19 juillet 1936) :

J'ai commencé à écrire la *Nouvelle histoire de Mouchette* en voyant passer dans des camions là-bas [*à Majorque*], entre des hommes armés, de pauvres êtres, les mains sur les genoux, le visage couvert de poussière, mais droits, bien droits, la tête levée, avec cette dignité qu'ont les Espagnols dans la misère la plus atroce. On allait les fusiller le lendemain matin. C'était la

seule chose dont ils se doutaient. Pour le reste, ils ne compre-
naient pas. [...] J'ai été frappé par cette impossibilité qu'ont les
pauvres gens de comprendre le jeu affreux où leur vie est
engagée. J'ai été frappé par l'horrible injustice des puissants qui,
pour condamner ces malheureux, leur parlent un langage qui
leur est étranger. Il y a là une odieuse imposture. [...] Naturellement, je n'ai pas pris délibérément la décision de tirer de là
un roman. Je ne me suis pas dit : je vais transposer ce que j'ai
vu dans l'histoire d'une fillette traquée par le malheur et l'injustice. Mais ce qui est vrai, c'est que si je n'avais pas vu ces
choses, je n'aurais pas écrit la *Nouvelle histoire de Mouchette.*
(1885-6)

Pas plus que ces Espagnols innocents, condamnés à
mort par les troupes de Franco, Mouchette ne comprend la
fatalité de la misère où elle est née, contre laquelle elle
lutte avec courage, mais qui l'incitera au suicide. Dans le
roman, deux des thèmes les plus importants sont indéniablement l'accablement provoqué par la misère et la résistance à la fatalité, qui témoigne de l'honneur du pauvre,
et par conséquent de l'honneur de l'homme. Mais ces deux
thèmes demeurent inséparables d'un troisième qui est, en
réalité, le premier auquel Bernanos avait songé avant le
déclenchement de la guerre d'Espagne et son expérience de
Majorque : la pureté. Nous en avons pour preuve une lettre
écrite à Pierre Belperron et datée 3 juin 1936 :

Impossible encore de trouver un nom à ma petite héroïne.
Celui de Mouchette m'obsède naturellement.
Je voudrais essayer de montrer l'éveil désespéré du sentiment de la pureté chez une enfant misérable — d'une pureté
toute charnelle, bien entendu, car elle ne saurait discourir de
cette vertu avec les théologiens. C'est un immense sujet. Alors
que je m'embarquais dans une nouvelle « rapide » comme dit
Massis...   (*Corr.*, II, 136)

Antérieur à l'événement historique, le projet littéraire

s'y unit étroitement et subit son influence. Sans l'expérience de Majorque, Bernanos aurait — sans doute — écrit *Nouvelle histoire de Mouchette*, mais pas de la même manière [75]. Réalité historique et fiction représentent les deux visages de la pauvreté humiliée, aujourd'hui condamnée à mort par l'injustice.

En dépit de son suicide et d'une perspective théologique traditionnelle, Mouchette est sauvée — du moins absoute par le romancier. Si Bernanos ne l'avait pas pensé, il n'aurait pas mis ces lignes en épigraphe à son livre : « *La Mouchette de la* Nouvelle histoire *n'a de commun avec celle du* Soleil de satan *que la même tragique solitude où je les ai vues toutes deux vivre et mourir.* [§] *À l'une et l'autre que Dieu fasse miséricorde !* » (1263). De même qu'il n'aurait pas tenu à André Rousseaux les propos déjà cités : « *Le suicide de Mouchette* [...] *c'est la mort du taureau qui s'est bien battu* [...] ».

Sur ce point, la plupart des commentateurs bernanosiens ont conclu de la même manière, quels que soient les arguments invoqués. Le premier, Albert Béguin notait il y a vingt ans que, s'il n'y avait pas de prêtre dans *Nouvelle histoire de Mouchette* — fait unique dans l'œuvre romanesque de Bernanos —, la raison en était simple à trouver : le romancier lui-même assumait une « fonction sacerdotale » par des procédés esthétiques :

C'est lui qui par amour connaît cette âme en détresse et la soutient jusqu'au bout du risque qu'elle court. C'est lui qui silencieusement l'absout pour finir et la sauve de la perdition. De cela nous n'avons d'autre preuve que le style de la tendresse, qui dans d'autres œuvres vient rompre parfois le style de la véhémence, mais qui ici crée une admirable unité de ton.   (*Lui-même*, 80)

Hans Urs von Balthasar compare l'aventure de Mouchette à une descente dans l'univers de la misère dont la seule issue ne saurait être que Dieu : « [...] *quelqu'un accompagne Mouchette* [...] : *le romancier en personne. L'acte qu'il accomplit en tant qu'écrivain a quelque chose pour lui d'une coopération à l'œuvre rédemptrice.* » (p. 408 [76]). Pour Henri Debluë, l'adolescente est nécessairement sauvée (pp. 208—24 [77]) puisqu'elle est « *victime d'une entreprise spécifique du Mal, d'une situation perverse et féroce, où toutes les issues sont fermées* » (p. 208 [77]). Le suicide de Mouchette, affirme Max Milner, évoque non pas la fascination du néant, mais une « *sorte de chute dans le repos final qui fait penser bien davantage à la "Mort des Pauvres" de Baudelaire* » [78]. Pour Pierrette Renard-Georges, les transformations du paysage romanesque — liées à la structure du roman —, de la forêt boueuse à l'eau claire de l'étang, sont le reflet d'une marche tragique vers le salut qui s'achève dans « *l'eau baptismale* » [79], l'eau de l'étang évoquant l'eau de la grâce claudélienne (*Cinq grandes Odes*).

Réfléchissant à partir des travaux d'Albert Béguin, Peter Fitting prouve, dans une étude sobre et dense [80], qu'un phénomène de « *conscience sélective* » est la clef de ce style « *de la tendresse* » qui caractérise *Nouvelle histoire de Mouchette*. Tout au long de son récit, Bernanos accompagne, en effet, Mouchette avec une tendresse qui transparaît dans le choix du vocabulaire et dans celui du style : un style narratif qui utilise d'une façon originale descriptions directes et descriptions indirectes. « *L'histoire* [écrit Peter Fitting] *est racontée à la troisième personne par un narrateur qui ne figure pas dans les événements du roman et qui, par sa narration, cherche à faire éprouver au lecteur les souffrances de l'héroïne.* » (p. 61 [80]). Au sein du récit, entre la voix de Mouchette et celle du romancier, il y a bien union — comme le notait Marcel Arland —, mais non pas fusion. Un examen attentif des mots et des phrases permet de

distinguer l'un de l'autre dans un mode de récit qui unit
narration à la troisième personne (Bernanos) et narration
à la première personne (Mouchette), parfois dans un même
paragraphe [81]. La coexistence de ces deux registres de narration nous incite à tout ressentir à travers le prisme des
réactions, sensations, états d'âme et sentiments de Mouchette. Le romancier semble souffrir avec sa créature en
la suivant pas à pas dans son aventure tragique, limitant
volontairement « *par sa technique narrative la connaissance
que prend le lecteur des événements* à la seule impression
qu'ils produisent sur Mouchette » (p. 69 [80]).

Dans *Mouchette*, l'objectivité du récit linéaire ne nous
fait pas appréhender les faits, les réactions ou les sentiments des personnages à travers le seul prisme de l'adolescente. L'esthétique même du film nous incite à penser que
Bresson ne ressent pas à l'égard de son héroïne la *tendresse* qu'éprouvait Bernanos à l'égard de la petite
Mouchette.

Le destin de celle-ci est inséparable d'une dimension
surnaturelle suggérée par le romancier au moyen du rêve,
ou de ce que l'on pourrait appeler une « mise en soupçon
du réel ». Les dimensions oniriques du récit romanesque
révèlent, en définitive, la vision du monde de Bernanos. Déjà,
de la première Mouchette, celui-ci avait écrit : « *Elle n'est
dupe que d'un rêve...* » (210). À propos de la seconde, il
affirme : « *Un rêve. Elle n'a même pas été dupe d'un homme,
mais d'un rêve...* » (1311). Dès les premières pages de son
roman, Bernanos place son récit sous le signe du rêve.
Appuyée « *contre la haie ruisselante* », juchée sur « *la crête
du talus* » (1265), Mouchette observe le préau de son école,
et en particulier le bec de gaz : « *Il lui semble qu'elle a
rêvé cela, jadis* [...]. » (1269).

Dans le dernier chapitre, le romancier rappellera que

Mouchette appartient à la race [82] des « *êtres nés sous le signe du rêve* » (1340). Le premier chapitre est caractérisé par une atmosphère onirique. La fuite dans la forêt, la rencontre nocturne avec Arsène, le courage que celui-ci montre (blessure à la main cautérisée par un charbon ardent) (1280-1), l'attention et l'estime qu'il porte à l'adolescente (1283), l'évocation du « cyclone » (1275, 1276, 1284) et de la rixe meurtrière avec Mathieu (1284—7) [83], la crise d'épilepsie (1289-90), enfin la naissance de l'amour dans le cœur de l'adolescente — faits, états d'âme, décor et circonstances créent sans conteste un « *onirisme fantastique* » (p. 212 [77]). Sans explorer les dimensions oniriques du récit bernanosien, il semble impossible de répondre à la question que nous posions un peu plus haut : comment rendre compte de l'opposition existant entre les événements *réels* de la nuit tragique (la pluie, le vent de mer, la rixe entre Arsène et Mathieu) et l'interprétation subjective qu'en donnent le braconnier et Mouchette — interprétation qui les transforme en événements *irréels* (le cyclone, le meurtre du garde) ?

Le rêve, présent au cœur même de *Nouvelle histoire de Mouchette*, doit être replacé dans une double perspective. Perspective humaine : Mouchette a vécu la rencontre avec Arsène « *en restant prise dans le rêve de l'ivrogne* » (*ÉB7*, 48 [84]) et cette tendance à s'ouvrir à l'onirique traduit l'accablement de la misère, « *l'hébétude de l'extrême fatigue, de l'extrême souffrance* » (49). Perspective surnaturelle : au moment où s'affirme l'extrême souffrance, la souffrance des misérables marqués « *du signe sacré de la misère* » (I,1343), le rêve transmet aussi l'appel de l'éternité, comme le suggère Hans Urs von Balthasar (p. 92 [76]).

Pour les créatures de Bernanos, l'appel de l'éternité peut parfois se faire si pressant, si déterminant que les faits auxquels elles doivent faire face sont vécus comme des rêves. Pour Mouchette le rêve fut d'abord le signe même de la souffrance liée à sa condition de pauvre, puis le signe d'un autre appel : l'aspiration à Dieu, substituée à l'échec de l'amour humain [85]. Le suicide de la première Mouchette était l'accomplissement du péché de désespoir dans toute sa pureté ; celui de la seconde Mouchette, meurtrie, marquée comme au fer rouge par le viol, c'est-à-dire par l'égoïsme et la lâcheté de « l'autre », se révèle en définitive quête d'une valeur surnaturelle, seule capable de faire accéder l'adolescente à la vraie vie.

Au dernier chapitre de son roman, Bernanos suggère que la mort de Mouchette est celle d'une enfant innocente incapable d'échapper à la fatalité de la misère et de la solitude. Le décor brossé par le romancier pourrait évoquer une transposition moderne et banale du Golgotha. Dans cette carrière de sable fin, près de l'étang « minuscule », « si clair, avec son fond de graviers blancs et roses » (1337), le regard de Mouchette domine la vallée « où se tapit son hameau » (1338), comme celui du curé d'Ambricourt contemplait — au début du Journal — le village déchristianisé, du haut de la côte de Saint-Vaast (1031). Près de Mouchette, l'écriteau qui barre l'entrée de la grotte, « au clair de lune, allongé par son ombre, dessine une croix sur la paroi blafarde » (1338). Mais, aux frontières de la mort, le sens olfactif de l'adolescente lui transmet non plus « la tiédeur écœurante de la bicoque de torchis » familiale, mais l'odeur exaltante du « mortier frais », de la « maison neuve », du « sel » et de « l'embrun ». Déçue dans sa solitude effrayante de « misérable », incapable de prendre définitivement pitié d'elle-même, déchiffrant dans sa main « brune » (1340) (qui lui apparaît noire par contraste avec la blancheur de la robe de mousseline) le signe même du « malheur » des pauvres accablés par la misère (1340), Mouchette attend de la mort une *révélation.*

Certes, elle « *ne voulait pas mourir* » (1342), pourtant la question fondamentale et redoutable se pose à elle, informulée, mais pressante : « À quoi bon vivre ? » Question « *terrible, inexorable, à laquelle nul homme réellement passionné n'a pu répondre et qui a décidé du salut de quelques rares héros par un miracle de grâce, car elle se retourne d'ordinaire contre celui qui la prononce* » (1343). Au cours de l'entretien accordé à André Rousseaux en juin 1937, dont nous avons déjà donné de larges extraits, Bernanos aura beau avoir affirmé : « *Mouchette ne se tue pas vraiment. Elle tombe et s'endort* [...] »[72], il n'en explorait pas moins, dans les dernières pages de son roman, la réalité mystérieuse du suicide « *phénomène inexplicable, d'une soudaineté effrayante* » (1339), tentation proposée aux « *prédestinés* » (1344). Le suicide de Mouchette est réponse au désespoir, quête désespérée d'un autre amour : « [...] *voilà qu'elle songeait à sa propre mort, le cœur serré non par l'angoisse, mais par l'émoi d'une découverte prodigieuse, l'imminente révélation d'un secret, ce même secret qui lui avait refusé l'amour.* [...] *Ainsi un visage familier nous apparaît dans la lumière du désir et nous savons tout à coup que depuis longtemps il nous était plus cher que la vie.* » (1339).

Ayant renoncé à insérer dans son récit tout commentaire en voix *off*, Bresson ne pouvait pas donner à la dernière séquence de son film la dimension métaphysique que renferme le dernier chapitre du roman, rythmé par une double dialectique du Mal et du Bien, du désespoir et de l'espérance. Certes le cinéaste sauve Mouchette mais sans conférer à cette rédemption l'exceptionnel arrière-plan qui s'impose au lecteur du roman. Contrairement à celui de *Nou-*

velle histoire de Mouchette, l'onirisme de *Mouchette* ne s'ouvre pas sur le surnaturel.

Dans *Journal d'un curé de campagne,* porte-parole du romancier, le curé d'Ambricourt écrivait : « *Je crois qu'une telle misère, une misère qui a oublié jusqu'à son nom, ne cherche plus, ne raisonne plus, pose au hasard sa face hagarde, doit se réveiller un jour sur l'épaule de Jésus-Christ.* » (1071). C'est très exactement ce que suggère la fin de *Nouvelle histoire de Mouchette.* Au plus profond de sa souffrance et de son désespoir, au cœur même de sa misère, tentée par Satan, Mouchette surmonte cette tentation pour découvrir dans la mort la paix de l'éternité, où l'attend la pitié du Christ. C'est en cela que réside le paradoxe du plan de Dieu, tel que l'imagine Bernanos : faire en sorte que l'appel du suicide se transforme en réponse à l'Amour de Dieu. La vision du romancier recoupe la conception évangélique selon laquelle la Justice de Dieu n'a aucune commune mesure avec celle des hommes [86]. Bernanos le croit de toutes ses forces et transcrit cette foi dans son écriture même qui vise à inciter le lecteur à participer, lui aussi, à cette quête de la Rédemption. Bresson suggère le salut de Mouchette et en reste au plan de la création artistique, telle qu'en elle-même « enfin l'éternité » la « change ». Bernanos entend participer et faire participer le lecteur au salut du personnage, comme si l'écriture romanesque était elle-même prière [87]. La création littéraire est pour lui non seulement quête de l'absolu, mais aventure surnaturelle, risque fondamental engageant le destin de l'homme.

L'étude de cette double transposition à l'écran de *Journal d'un curé de campagne* et de *Nouvelle histoire de Mouchette* nous incite, en conclusion, à tenter de définir une méthode critique qui pourrait être appliquée à toute confrontation d'un texte littéraire et d'un film, au passage d'une esthétique romanesque à une esthétique cinématographique. Cette méthode se définirait par les critères de recherche suivants :

1) Tenir un film pour un *texte* dont les découpages techniques (avant tournage et après montage) représentent les différents états de composition (les choix successifs de l'auteur étant souvent révélateurs). À défaut de pouvoir consulter le découpage initial, il convient d'examiner attentivement le découpage final lorsque celui-ci est publié. Si le découpage n'est pas publié, il faut tenter de le reconstituer de mémoire dans ses grandes lignes à l'aide de plusieurs lectures du film (lectures en elles-mêmes évidemment nécessaires en dehors de ce point de vue pragmatique).

2) Étudier ce texte filmique comme on étudie un texte littéraire en faisant appel aux différentes méthodes critiques possibles (de type thématique, psychocritique, structuraliste, sémiologique, etc.) mais sans oublier l'absolue nécessite de se *soumettre d'abord au texte lui-même*. Pren-

dre soin de ne jamais dissocier le « contenu » et la « forme »
de ce texte, d'examiner comment les dimensions (psycho-
logiques, politiques, métaphysiques, etc.) de l'œuvre sont
réfléchies par ses structures esthétiques qui leur confèrent
leur puissance de suggestion.

3) Situer texte romanesque — s'il s'agit d'un roman
d'où le scénario du film est tiré, comme c'est le cas du
Journal et de *Mouchette* — et texte filmique dans les différents *contextes* de l'œuvre entière des deux auteurs. Les
études de genèse et la connaissance de l'œuvre globale de
l'auteur apparaissent ici indispensables. Se priver des sour-
ces historiques ne permettrait pas de discerner et d'analyser tous les éclairages possibles de *Nouvelle histoire de
Mouchette*. Sans confronter le *Journal d'un curé de campagne* avec l'œuvre romanesque de Bernanos comment découvrir toutes les dimensions du surnaturel ? Sans connaître
l'ensemble de l'œuvre de Bresson comment comprendre pourquoi il a choisi, pour ses transpositions, des acteurs non-
professionnels ? Comment définir les caractéristiques de son
système esthétique ?

4) Comparer la *structure* du roman et celle du film : la
fidélité de la seconde à la première constitue souvent un
gage de réussite observée dans la transposition et les modifications insérées (déplacements, inversions, substitutions,
etc.) dans la composition des séquences traduisent de façon
significative les intentions thématiques et esthétiques du
cinéaste. À cet égard, qu'il s'agisse du *Journal* ou de *Mouchette*, la fidélité créatrice de Bresson apparaît exemplaire.

5) Examiner minutieusement le *récit cinématographique* [88] et ses différentes composantes (union ou antagonisme
de l'image, de la parole et de la bande sonore, mouvements
de caméra, angles de prises de vues, éclairages, etc.), sa
continuité ou sa discontinuité, assurée par le montage. Dans

Journal d'un curé de campagne, le procédé du journal intime et de la voix *off*, la dialectique de l'image, du silence et des sons, celle des paroles d'autrui et de la « parole intérieure » du prêtre donnent au récit de Bresson la rigueur et la plénitude nécessaires à la transcription cinématographique du surnaturel bernanosien. En revanche, avec *Mouchette*, l'essai du cinéaste n'est pas aussi concluant. Dans le roman de Bernanos, derrière ou au-delà des faits, une perspective surnaturelle, capable de leur conférer un sens à travers l'ambiguïté des données du discours romanesque, apparaît transcrite par le récit. Si les mots ne « disent » [89] plus explicitement le salut de l'enfant immergé dans l'univers de la misère, le récit suggère indéniablement le mystère de la rédemption. C'est dans cette perpective précise que le récit de Bresson ne se situe pas au niveau de profondeur du récit bernanosien.

Ainsi, du roman au film, la transposition la plus fidèle doit-elle naître d'une double fidélité à la structure et au récit de l'œuvre originale.

NOTES

1. À propos des rapports entre littérature et cinéma, il convient de se reporter aux livres fondamentaux de André Bazin (*Qu'est-ce que le cinéma ?* II. Paris, Cerf, Coll. « 7e art », 1959) et de Marie-Claire Ropars-Wuilleumier (*De la littérature au cinéma*. Paris, Armand Colin, Coll. « U² », 1970).

2. Voir en particulier M.-C. ROPARS-WUILLEUMIER, *op. cit.*, pp. 88—96, André BAZIN, *Orson Welles* (Paris, Chavane, 1950), pp. 31—5, et Alain MARIE, « L'Esthétique tragique d'*Othello* », *Études cinématographiques*, n° 24-25, 1963, *Orson Welles - l'éthique et l'esthétique*, pp. 90—9.

3. À propos de ces deux films, nous nous permettons de renvoyer le lecteur aux articles que nous avons publiés dans *Études cinématographiques*, n°s 30-31, 1964, *Akira Kurosawa*, respectivement pp. 50—4 et 66—74.

4. Sur ce double point, nous nous permettons de renvoyer le lecteur à notre essai *Robert Bresson* (Paris, Seghers, Coll. « Cinéma d'aujourd'hui », 1974), pp. 11—3 et 16—20.

5. « En travaillant avec Robert Bresson », *Cahiers du cinéma*, n° 50, août-septembre 1955 (propos datés février—juillet 1947 et consignés dans le tome V du *Journal* publié chez Plon).

6. Voir notre « Biographie » de l'écrivain, pp. LVI-LVII, in BERNANOS, *Œuvres romanesques* (Paris, Gallimard, « Bibl. de la Pléiade », 1974).

7. *Journal d'un curé de campagne* a été composé de novembre-décembre 1934 à janvier 1936 (voir *Œuvres romanesques* [*op. cit.*], pp. 1877—81) ; *Nouvelle histoire de Mouchette*, d'avril à septembre 1936 (voir *Combat pour la liberté* [Paris, Plon, 1971], pp. 134, 136, 143, 144, 156, 162), comme le prouve un examen attentif des lettres adressées par Bernanos à Pierre Belperron et Maurice Bourdel.

8. Voir notre chapitre « Les Cycles de l'œuvre », in *Robert Bresson* (*op. cit.*), pp. 9—15.

9. « Bresson s'explique sur son nouveau film » (propos recueillis par N. MURAT), *Le Figaro littéraire*, 16 mars 1967.

10. Quatre acteurs, dont Antoine Balpêtré (le docteur Delbende) et Marie-Monique Arkell (la Comtesse) qui, selon Bresson, n'avait d'ailleurs pas joué depuis vingt ans (« Le Cinéma selon Bresson », *Les Nouvelles littéraires*, 26 mai 1966).

11. Voir sur ce point l'article d'Albert BÉGUIN, « L'Adaptation du *Journal d'un curé de campagne* », *Glanes*, n° 18, mai-juin 1951, pp. 10—17.

12. BÉGUIN, « L'Adaptation du *Journal d'un curé de campagne* » (*loc. cit.*).

13. Sur ce point voir encore notre essai *Robert Bresson* (*op. cit.*), pp. 20—2.

14. Entretiens accordés en février-mars 1958. C'est depuis cette date que nous nous sommes penché sur les films de Robert Bresson, nouant des relations amicales avec le cinéaste. Par ailleurs, Bresson nous a confié que, dans l'œuvre romanesque de Bernanos, il appréciait surtout le début de *L'Imposture*, la fin de *Monsieur Ouine* et certains passages du *Journal*.

15. *Un Condamné à mort s'est échappé* devait être tourné en 1956. On sait que Bresson avait préparé une adaptation de *La Princesse de Clèves*, œuvre qu'il admire beaucoup. Mais c'est Jean Delannoy qui devait tourner ultérieurement une transposition du roman.

16. R. BRESSON, in « Le Cinéma selon Bresson » (*loc. cit.*). Au cours d'un autre entretien (accordé au producteur Napoléon Murat) Bresson a déclaré : « *Le frappant, à mes yeux, fut surtout le cahier d'écolier du journal où, par la plume du curé, un monde extérieur devient un monde intérieur et prend une couleur spirituelle. C'est à cela que mon scénario s'attacha, de préférence aux événements jugés d'habitude plus cinématographiques. On en prit ombrage. Je dus quitter mon producteur et en chercher un autre.* » (« Bresson s'explique sur son nouveau film », *loc. cit.*). Relevons que, dans son article déjà cité, A. Béguin précise que Pierre Gérin refusa le scénario de Bresson « *à contre-cœur* » et « *sous la pression de son conseil d'administration* » [11].

17. Supplément « Lettres et Arts » à *Recherches et débats*, n° 15, mars 1951, p. 22.

18. Jean SÉMOLUÉ, *Bresson* (Paris, Éd. Universitaires, 1960), p. 98.

19. Voir sur ce point Janick ARBOIS, *Téléciné*, fiche n° 158.

20. Une analyse de la structure détaillée du roman a été tentée par Roger Mathé, pp. 18—25 in *Journal d'un curé de campagne* (Paris, Hatier, Coll. « Profil d'une œuvre », 1970). Notons qu'il est regrettable que Roger Mathé ait fait précéder les divisions essentielles indiquées par Bernanos (I, II, III) du concept de « chapitre ». À notre avis, le roman ne comprend pas des « chapitres », mais des « parties ».

21. Voir Gérard HOFFBECK, *Journal d'un curé de campagne* (Paris, Hachette, Coll. « Poche critique », 1972), pp. 24—8.

22. Voir É.-A. HUBERT, « L'Expression romanesque du surnaturel dans *Journal d'un curé de campagne* », *ÉB2*, 17—53.

23. Jean LACROIX, « Vie intérieure et vie spirituelle », *Le Monde*, 15 mai 1954.

24. Robert Bresson nous a prêté, en 1958, le découpage technique du film. Mais, compte tenu des improvisations au tournage, des inversions et des coupes opérées au montage, il était très différent de l'œuvre achevée. Une vingtaine de lectures du film nous a permis de reconstituer, plan par plan, séquence par séquence, l'ordre réel du déroulement des séquences dans le récit.

25. D'autres oppositions de détail sont relevées par Jean Sémolué (*op. cit.*, pp. 99—101), qui a proposé une analyse de la structure du film proche, mais distincte de la nôtre (pp. 65—80).

26. La première comporte 10 séquences et environ 90 plans (9 plans en moyenne par séquence) ; la seconde, 5 séquences et environ 40 plans (8 plans par séquence) ; la troisième, 4 séquences et environ 25 plans (6 plans par séquence) ; la quatrième, 8 séquences et environ 130 plans (16 plans par séquence) ; ·la cinquième, 9 séquences et environ 170 plans (19 plans par séquence) : dans les deux dernières parties, au fur et à mesure que le prêtre prend conscience de sa véritable vocation et s'achemine vers la mort, la durée des séquences s'allonge. La fluidité du récit est encore renforcée par la fréquence des fondus-enchaînés et par certaines transitions d'ordre plastique accompagnant ce procédé technique : par exemple, le leitmotiv du vin (fût et bouteille, à l'intérieur de ·la séquence 2), ou les garnitures d'argent sur les tentures noires du catafalque qui s'unissent aux flocons de neige, entre les séquences 27 et 28.

27. ROPARS-WUILLEUMIER, *De la littérature au cinéma* (*op. cit.*).

28. Le premier, André Bazin a relevé l'originalité de ce procédé « *qui fait définitivement justice de ce lieu commun critique selon lequel l'image et le son ne se devraient jamais doubler* » (*Qu'est-ce que le cinéma ?*, II [*op. cit.*], p. 49).

29. B.T. FITCH, *Dimensions et structures chez Bernanos* (Paris, Lettres Modernes, Coll. « Situation », 1969), p. 146.

30. « *Le Journal d'un curé de campagne* et la stylistique de Robert Bresson », p. 41 in *Qu'est-ce que le cinéma ?*, II (*op. cit.*).

Jean Sémolué écrit, pour sa part : « *Grâce à la parenté d'allure et de diction entre les différents personnages du film, il n'existe pas de scission entre le "commentaire intérieur" et les dialogues. Les personnages, leurs paroles, semblent émerger de la voix du curé, comme les événements de son cahier. Si bien qu'à la fin on n'éprouve pas le sentiment d'une discordance quand le récitant est le curé de Torcy et non le curé d'Ambricourt.* ⊢ *Cette voix "intérieure" sans inflexions, mais toute en subtilités de modulations, suggère une impression de silence mental [...] et semble appeler un gros plan de visage immobile.* » (*Bresson* [*op. cit.*], p. 116).

31. Voir dans notre essai sur *Robert Bresson* le chapitre consacré au « jeu » de l'acteur (pp. 76—86).

32. Sur ce point, voir l'entretien accordé par Bresson à *L'Express* (23 décembre 1959), et *Notes sur le cinématographe* (Paris, Gallimard, 1975), pp. 10—5.

33. « *Le Procès de Jeanne d'Arc* se tourne à huis clos », *Les Nouvelles littéraires*, 5 octobre 1961.

34. « Propos de Robert Bresson », *Cahiers du Cinéma*, n° 75, octobre 1957.

35. BÉGUIN, « Bernanos au cinéma », *Esprit*, février 1951.

36. Nous n'insistons pas sur ces « correspondances » tant elles ont été minutieusement analysées par Jean Sémolué dans son *Bresson* (*op. cit.*), pp. 84—92.

37. Béguin est plus sévère encore, qui écrit : « *Quel que soit le talent de la jeune actrice, Nicole Ladmiral, on l'a transformée en une petite sournoise qui n'a plus' rien de la merveilleuse enfant créée par Bernanos, plus rien de ce goût du risque qui la jette vers l'inconnu, vers l'avenir, vers le mal.* » (« L'Adaptation du *Journal*... », *loc. cit.*).

38. Bresson nous a lui-même confié qu'il avait choisi Claude Laydu également parce que ses yeux prouvaient qu'il avait souffert très jeune, parce qu'il voyait en lui un homme capable de se faire aimer.

39. L'expression « *recto tono* » est employée par André Bazin lui-même (*op. cit.*, p. 37).

40. « Robert Bresson : Le *"Pickpocket"* sera un film de mains, d'objets et de regards », *Arts*, 17 juin 1959.

41. Le seul paysage légèrement ensoleillé est celui de la rencontre avec Olivier (séquence 34) où l'on retrouve le « ciel clair » évoqué par Bernanos.

42. Amédée AYFRE, *Dieu au cinéma* (Paris, P.U.F., 1953).

43. BAZIN, *Qu'est-ce que le cinéma ?*, II (*op. cit.*).

44. Voir sur ce point Jean Sémolué, qui précise que l'éclairage des nuits d'angoisse est celui des tableaux de Georges de La Tour (*Bresson* [*op. cit*], pp. 104-5).

45. Simone WEIL, *La Pesanteur et la grâce* (Paris, Plon, 1952).

46. Henri AGEL, *Le Cinéma et le sacré* (Paris, Cerf, Coll. « 7e art », 1953), p. 39.

47. À propos de la « désincarnation » et de « l'abstraction » dans l'œuvre de Bresson, nous nous permettons de renvoyer le lecteur à notre essai, *Robert Bresson* (*op. cit.*), pp. 56—64.

48. Robert BRESSON, « Le Domaine de l'indicible » (propos recueillis par Y. BABY), *Le Monde*, 14 mars 1967.

49. Pour *Mouchette* comme pour *Journal d'un curé de campagne*, nous donnons au terme *séquence* son sens le plus élémentaire : succession de plans se rapportant à une phase du récit et renfermant une unité dramatique. Le passage d'une séquence à une autre est défini soit par un changement de lieu, soit par un changement de temps.

50. Voir *L'Avant-scène-cinéma*, « Mouchette », nº 80, avril 1968.

51. Comme le fondu-enchaîné, le fondu-au-noir est un signe visuel de ponctuation, qui termine une séquence. Le fondu-enchaîné fait apparaître une image pendant que la précédente disparaît, les deux images restant superposées pendant quelques secondes ou quelques fractions de seconde. La fermeture en fondu-au-noir provoque l'obscurcissement de l'image jusqu'à ce que celle-ci disparaisse dans le noir total (pour plus de précisions voir Yveline BATICLE, *Le Cinéma* [Paris, Magnard, 1968], pp. 121-2). Dans les deux films que nous étudions, le fondu-au-noir marque une ponctuation plus affirmée que le fondu-enchaîné, inséré souvent à l'intérieur d'une même séquence.

52. Sur ce point, Bresson a été parfaitement explicite : « *J'ai inventé une fête foraine et un garçon vers qui serait attirée Mouchette. Il apparaît et disparaît comme un fantôme. L'évanouissement de l'espoir n'amène pas forcément le désespoir. Autre but trop évident de cette fête et de ce garçon : le clair, le gai fait mieux ressortir le noir, le sombre de ce qui suit.* » (« Bresson s'explique... », *loc. cit.*).

53. C'est du moins ce que nous avons pu établir en confrontant : 1) le découpage initial avant tournage ; 2) le découpage final proposé par *L'Avant-scène* ; 3) nos propres lectures du film.

54. L'aventure de Mouchette commence un samedi, après la récréation (« *Après la récréation, chaque samedi* [...] », 1265), et s'achève le lendemain matin, approximativement à l'heure de la grand-messe (dix heures), c'est-à-dire vers « *neuf heures* » (1326-7), puisque la jeune fille se rend chez Philomène au cours de l'heure « *qui précède la grand-messe* » (1326). Mouchette joue son destin entre 18 heures (la récréation du soir) et 9 heures ou 10 heures, le dimanche matin. Elle affirme à Arsène qu'elle a quitté l'école « *Peut-être ben* » à « *six heures et demie* » (1277).

55. Voir Ernest BEAUMONT, « Le Sens christique de l'œuvre romanesque de Bernanos », *ÉB3/4*, 94-5.

56. « Conversation plutôt qu'interview avec Robert Bresson sur "Mouchette" », (propos recueillis par Georges SADOUL), *Les Lettres françaises*, 16 mars 1967.

57. Pierrette RENARD-GEORGES, « Bernanos et Bresson » [à propos de *Mouchette*], *ÉB9*, 85. P. Renard-Georges a également étudié la structure du film dans le cadre de son article (pp. 90-1).

58. Bresson confiait à Georges Sadoul : « *Dans mon film je n'ai pas employé des acteurs même non professionnels mais des modèles dans le sens où l'on dit le modèle d'un peintre ou d'un sculpteur. Quand le choix du modèle est juste, la psychologie se fait toute seule et je me corrige à elle.* » (« Conversation... », *loc. cit.*). L'expression *modèle*, par opposition à *acteur*, est employée constamment dans *Notes sur le cinématographe* (*op. cit.*).

Toute l'équipe des « modèles » est d'un parfait naturel, en particulier Jean-Claude Guilbert (Arsène), Jean Vimenet (Mathieu) et Suzanne Huguenin (la veilleuse des morts). Nadine Nortier incarne une Mouchette qui semble surgir directement du roman : comme le note Pierrette Renard-Georges, avec ses galoches bruyantes, son corps « *apparemment ingrat* », son visage « *enfantin et sensuel à la fois* », son regard « *oblique, uni à l'immobilité grave de ses traits* » elle « *est* » l'héroïne de Bernanos (*ÉB9*, 88).

59. *Études cinématographiques*, nos 18-19, 1962 (*Jeanne d'Arc à l'écran*), pp. 91 et 93.

60. De même, avec *Une Femme douce*, Bresson insérera l'intrigue de Dostoïevski (« La Douce ») dans le Paris de 1969 ; avec *Lancelot du Lac* (réalisé en 1973-1974), il soulignera les dimensions actuelles d'une aventure qui se déroule au Moyen Age.

61. Jean-Louis BORY, « De la misère au Magnificat », *Le Nouvel observateur*, 15 mars 1967.

62. P. Renard-Georges relève à juste titre que les gros plans sont réservés « *aux mains qui luttent, qui souffrent (celle d'Arsène), qui caressent (celle du nourrisson) ou aux objets qui tombent (la trappe, le fusil, la gourde d'alcool, la bougie, le bol de l'épicière, le vêtement qui se déchire) et dont la chute ou la rupture sont à la fois miroir psychologique et point de départ d'un mouvement dramatique ou spirituel* » (*ÉB9*,86).

63. Un seul exemple : Mouchette a pour Mathieu de « *vrais yeux de chat sauvage* » (1323).

64. La chasse transcrit encore l'atmosphère de violence propre au roman, violence soulignée par Max Milner dans son essai, *Georges Bernanos* (Paris, Desclée De Brouwer, 1967), pp. 253—6.

65. Luc Estang notait : « *Des natures comme celle de Mouchette, parce qu'elles sont irréconciliées, ne supportent pas ce modèle de réconciliation qu'est la musique.* » (*Présence de Bernanos* [Paris, Plon, 1947], p. 148). Pour Yves Bridel, la révolte de Mouchette, que traduit cette haine du chant et de la musique, est le signe d'une « *volonté d'intégrité* » ; l'adolescente se refuse, en effet, « *à partager, avec ceux qu'elle déteste, son innocence et son intimité, mises à nu par le chant* » (*L'Esprit d'enfance dans l'œuvre romanesque de Georges Bernanos* [Paris, Lettres Modernes, Coll. « Thèmes et mythes », 1966], p. 186).

66. Jean DE BARONCELLI, « *Mouchette*, de Robert Bresson », *Le Monde*, 14 mars 1967.

67. Les rapides travellings à ras du sol rappellent encore le dernier travelling arrière qui conduisait Jeanne au bûcher.

68. C'est dans le « Prologue » de *Sous le soleil de Satan* que Bernanos a affirmé le plus explicitement le lien entre le déroulement temporel des faits et les luttes ou les décisions prises au niveau de l'éternité : voir pp. 65, 83, 86, 109.

69. Marcel ARLAND, « Mouchette et la grâce », *Georges Bernanos. Essais et témoignages*, réunis par Albert BÉGUIN (Paris, Seuil, 1949), p. 135.

70. À propos du paysage dans *Nouvelle histoire de Mouchette*, voir l'étude de Pierrette Renard-Georges : « Métamorphoses et spiritualité du paysage », *ÉB9*,31—54.

71. À cet égard, *Mouchette* apparaît situé en retrait par rapport à *Au hasard Balthazar* réalisé un an auparavant (1965-1966).

72. « Misère et grandeur de Mouchette », entretien accordé à André Rousseaux, *Candide*, 17 juin 1937. Repris en annexe à notre essai *Bernanos* (Paris, Gallimard, Coll. « La Bibliothèque idéale », 1965), pp. 244-5.

73. Thèse soutenue par Gerda Blumenthal dans son essai : *The Poetic Imagination of Georges Bernanos : an Essay in Interpretation* (Baltimore, The Johns Hopkins Press, 1965). Voir à propos de ce livre le compte rendu de Brian FITCH (*ÉB9*, 193—9).

74. Nous saisissons le prétexte de cette étude inédite pour tenter d'établir avec le plus de précisions possibles les dates de composition de *Nouvelle histoire de Mouchette*. Dans notre édition dés *Œuvres romanesques* (en 1961), nous notions que Bernanos avait composé ce roman « *au cours du second semestre 1936* » (*Œ*,I,1852). Un examen attentif de la correspondance de l'écrivain publiée dans *Combat pour la liberté* et relative à l'année 1936 nous permet d'avancer aujourd'hui des dates un peu plus précises. Nous indiquions plus haut que *Nouvelle histoire de Mouchette* avait été composé d'avril à septembre 1936. Voici les éléments qui nous incitent à faire cette supposition.

Dans une lettre adressée à Pierre Belperron et datée du 30 avril, Bernanos écrit : « *Enfin, j'ai entamé une nouvelle, dont vous recevrez dans quelques jours une cinquantaine de pages. (Elle en aura finalement quatre-vingts ou cent).* » (*Corr.*, II, 134). À la lecture des lettres adressées à Pierre Belperron et à Maurice Bourdel (respectivement pp. 134, 136, 143, 144, 156, 162), on constate que les phases de la genèse se sont déroulées de la manière suivante :

— les 50 premières pages sont achevées fin avril (p. 134) ;

— environ 20 pages sont expédiées à Paris en juin (p. 136) ;

— environ 30 pages sont expédiées au début juillet (p. 143) ;

— un nombre indéterminé de pages est expédié en juillet, mois au cours duquel Bernanos annonce à Maurice Bourdel un autre envoi de 30 pages (p. 144) ; — en septembre, sont expédiés un nombre indéterminé de pages et le bref dernier chapitre (p. 156 et p. 162).

On peut conclure que le roman a été achevé fin septembre et qu'il était écrit aux 2/3 avant le déclenchement de la guerre civile (environ 100 pages étaient achevées sur 150 au début juillet).

75. Voir sur ce point Max MILNER, Georges Bernanos (op. cit.), pp. 252—62.

76. Hans Urs von BALTHASAR, Le Chrétien Bernanos (Paris, Seuil, 1956).

77. Henri DEBLUË, Les Romans de Georges Bernanos ou le défi du rêve (Neuchâtel, À la Baconnière, 1965).

78. MILNER, Georges Bernanos (op. cit.), p. 260.

79. RENARD-GEORGES, « Métamorphose et spiritualité du paysage », ÉB9, 53.

80. Peter FITTING, « Narrateur et narration », ÉB9.

81. Peter Fitting donne des exemples précis qui se rapportent aux pages 1265, 1269-70 et 1305 du roman (ÉB9, 63—7).

82. Au cours du premier chapitre, Bernanos écrit encore au sujet de l'adolescente : « S'il lui arrive de s'échapper souvent d'elle-même, grâce au rêve, elle a perdu depuis longtemps le secret de ces routes mystérieuses par lesquelles on rentre en soi. » (1282).

83. Fait significatif : cette rixe est présentée dans le film observée par le regard de Mouchette (séquence 13, L'Avant-scène-cinéma [op. cit.], p. 17). Les dimensions oniriques du film sont nettement moins développées que celles du roman.

84. Henri GIORDAN, « Problèmes et perspectives d'avenir des recherches bernanosiennes », ÉB7.

85. Voir notre essai Le Sens de l'amour dans les romans de Bernanos (Paris, Lettres Modernes, Coll. « Thèmes et mythes », 1959), pp. 74—82.

86. Voir BRIDEL, L'Esprit d'enfance... (op. cit.), p. 196.

87. Voir Gaëtan PICON, « Bernanos romancier », Œ, I, XXIV—XXVI.

88. Voir ROPARS-WUILLEUMIER, De la littérature au cinéma (op. cit.), (à propos du Journal) pp. 99-100.

89. Voir Pierre GILLE, ÉB14,143.

TABLE

BERNANOS ET JOUVE : *Sous le soleil de Satan* et *Paulina 1880* — essai de lecture parallèle, par Joseph JURT   **3**

BERNANOS ET BRESSON — étude de *Journal d'un curé de campagne* et *Mouchette,* par Michel ESTÈVE   **33**

ACHEVÉ D'IMPRIMER
D'APRÈS UNE TYPOGRAPHIE DE COMPO-SÉLECTION
LE 10 MARS 1978
PAR L'IMPRIMERIE F. PAILLART
ABBEVILLE

N° d'impression : 4240.
N° d'édition : ALM 178.
Dépôt légal : 1er trimestre 1978.

Imprimé en France.